Chères lectrices,

« O temps, suspends ton vol… », disait le poète, désireux de fixer l'instant présent. Comme lui, chacune d'entre nous perçoit à sa manière la fuite des heures. Ce temps si précieux que certaines laissent filer sans regret, d'autres le remplissent, déployant une énergie débordante pour tenter d'allonger les jours. Mais qu'importe la rapidité avec laquelle le temps s'écoule. Ce qui compte en réalité, c'est l'utilisation qu'on en fait.

En préface à son roman : *Le risque d'aimer* (Amours d'Aujourd'hui N° 866), Elissa Ambrose écrit ces lignes : « … Il y a quelques années, une grande amie à moi a appris qu'elle avait un cancer. Elle a décidé alors de changer sa vie, se jurant de vivre pleinement le temps qui lui serait donné, quelle que soit sa durée. Elle a tenu parole et aujourd'hui encore, alors qu'elle est guérie, elle continue à chercher le potentiel de joie contenu dans chaque instant qui passe. C'est cette amie qui m'a inspiré l'histoire que vous allez lire. Je vous souhaite autant d'émotion au fil de votre lecture que j'en ai eu à l'écrire… »

Moi aussi, j'ai aimé ce roman fait d'émotion, d'optimisme et de sentiments à fleur de peau, et le témoignage d'espoir contenu entre ses lignes. Je vous laisse donc le découvrir en vous souhaitant une excellente lecture.

La responsable de collection

Un rêve en héritage

CYNTHIA THOMASON

Un rêve en héritage

AMOURS D'AUJOURD'HUI

Cet ouvrage a été publié en langue anglaise sous le titre :
THE MEN OF THORNE ISLAND

Traduction française de
BÉNÉDICTE DUCHET-FILHOL

Photo de couverture :
©KEN CHERNUS / GETTY IMAGES

83-85, boulevard Vincent-Auriol, 75013 PARIS — Tél. : 01 42 16 63 63
Service Lectrices — Tél. : 01 45 82 47 47
ISBN 2-280-07868-6 — ISSN 1264-0409

1.

Sara Crawford entra dans son bureau à 8 h 30 précises, ce lundi matin, foula d'un pas décidé la moquette prune… et s'arrêta net en apercevant, sur sa table, une enveloppe de la société de messagerie Federal Express.

La date limite d'envoi des déclarations de revenus approchant, il devait s'agir des documents comptables d'un client retardataire, et cela signifiait pour Sara des heures de travail supplémentaires dans un emploi du temps déjà très chargé.

Elle posa son sac à main et sa mallette sur une chaise, puis se dirigea vers la desserte placée contre l'un des murs. Une tasse de café fort lui donnerait peut-être l'énergie nécessaire pour commencer une journée qui s'annonçait encore plus longue que prévu.

La pellicule brunâtre qui recouvrait le fond de la verseuse irrita profondément la jeune femme : non contente d'être de nouveau en retard, sa secrétaire était partie la veille en oubliant d'éteindre la cafetière.

Sara emporta la verseuse dans la salle de bains attenante, la nettoya et la remplit d'eau chaude. En attendant que le café soit prêt, elle s'assit à son bureau et fit glisser vers elle l'enveloppe de la FedEx. Le pli n'était pas très épais, constata-t-elle. Il ne pouvait donc pas contenir des registres de comptabilité, et le nom de l'expéditeur — Me Herbert Adams, de Cleveland, dans l'Ohio — lui était également inconnu.

Perplexe mais soulagée, elle tendit la main vers son coupe-papier, mais suspendit son geste en voyant la tête rousse de Candy Applebaum, sa secrétaire, surgir dans l'embrasure de la porte.

— Excusez mon retard, lança Candy. J'aurais été presque à l'heure ce matin sans la série de catastrophes qui m'est tombée dessus : mon chat a grimpé sur la table et bousculé la cage à oiseaux, dont la mangeoire s'est décrochée. Les graines ont roulé jusque sous le lave-vaisselle, et j'ai dû...

— Ce n'est pas grave, dit Sara en souriant. Je ne suis pas là depuis très longtemps.

— Vous avez tout de même eu le temps de préparer du café, et... Mon Dieu ! J'espère que je n'avais pas laissé la cafetière allumée !

— Si, et vous allez m'en servir une tasse, pour vous faire pardonner.

— Tout de suite ! Mais avant que je n'oublie, voici les papiers que M. Papalardo vient de me donner. Il les a apportés en personne, pour gagner du temps... C'est vraiment un homme charmant !

Candy s'approcha du bureau et posa dessus un sac en plastique que Sara fixa avec consternation. Malgré des avertissements répétés, Tony Papalardo lui jouait le même mauvais tour que les années précédentes : il attendait la dernière minute pour lui remettre la comptabilité de sa pizzéria — et sans doute allait-elle trouver, comme d'habitude dans le sac, un fouillis complet de quittances, de factures et d'additions maculées de sauce tomate.

C'était effectivement un homme charmant, mais aussi le cauchemar de tout expert-comptable.

Une douleur sourde au niveau des tempes annonça à Sara un début de migraine. Elle ferma les yeux et se massa le front pour tenter, sans grand espoir, de la faire disparaître.

— Ça va ? lui demanda Candy d'une voix inquiète.

— Oui, répondit-elle en rouvrant les paupières. J'aimerais juste savoir si M. Papalardo a conscience qu'il n'est pas mon seul client et que nous sommes aujourd'hui le 12 avril, trois jours seulement avant la limite d'envoi des déclarations de revenus. Il y a de quoi s'arracher les cheveux.

Elle regarda dans le miroir accroché au mur opposé et s'imagina en train de retirer les épingles de son chignon et d'arracher ses mèches blondes l'une après l'autre. Ce n'était pas l'envie qui lui en manquait, mais cela lui aurait pris trop de temps.

— Si je veux partir à Aruba avec mes amis à la fin de la semaine comme prévu, je vais devoir travailler jour et nuit, dit-elle d'un ton morose. Et quand j'arriverai là-bas, je serai si fatiguée que je n'aurai même pas la force de sortir de ma chambre d'hôtel.

— Ne vous inquiétez pas, je vous aiderai à remplir la déclaration de M. Papalardo, et vous pourrez profiter de vos vacances. Votre nouvel amoureux sera du voyage, n'est-ce pas ?

Connaissant le désir qu'avait sa secrétaire de la voir trouver l'âme sœur, Sara dit prudemment :

— Donald sera là, en effet, mais le terme d'amoureux est trop fort : nous ne sommes sortis ensemble que trois fois.

— Peut-être, mais quand vous vous promènerez tous les deux sur la plage au clair de lune, qui sait ce qui se passera ?

— Vous êtes incorrigible ! s'écria Sara en riant.

Le téléphone sonna dans la pièce voisine, et Candy courut répondre. Sara commençait à trier le contenu du sac en plastique lorsque l'Interphone bourdonna. Elle appuya sur le bouton.

— Oui ?

— Me Herbert Adams, de Cleveland, désire vous parler.

C'était le nom de l'expéditeur inscrit sur l'enveloppe de la FedEx. La jeune femme la souleva d'une main et décrocha le combiné de l'autre.

— Maître Adams ? Sara Crawford, à l'appareil. J'ai bien reçu votre envoi, mais je n'ai pas encore eu le temps de l'ouvrir... De quoi s'agit-il ?

— Je suis le notaire de Millicent Thorne, mademoiselle Crawford.

Il fallut quelques secondes à Sara pour mettre un visage sur ce nom, mais quand ce fut fait, le souvenir de sa grand-tante maternelle lui arracha un sourire. Bien qu'elle ne l'ait pas vue depuis quinze ans — depuis l'été de ses quatorze ans, lors du décès de sa mère —, elle se rappelait fort bien cette femme, dont la simplicité et le dynamisme lui avaient toujours plu.

— Comment va tante Millie ? demanda-t-elle.

— Vous n'êtes donc pas au courant ?

— Au courant de quoi ?

— Mlle Thorne est morte la semaine dernière.

Une onde de tristesse envahit Sara. Elle n'avait pas rencontré plus d'une demi-douzaine de fois cette parente qui voyageait beaucoup, mais elle l'aimait bien. Apprendre ainsi la disparition d'un membre de sa famille par un étranger l'emplissait de honte et de regrets : elle aurait pu — elle aurait dû — reprendre contact avec sa grand-tante. Elle ne l'avait pas fait, et il était trop tard, maintenant.

— Je l'ignorais, dit la jeune femme. Comment est-elle morte ?

— Paisiblement, dans son sommeil, et ses dernières années se sont passées dans un luxe relatif grâce à un procès qu'elle avait gagné.

— Je suis contente de savoir qu'elle n'a manqué de rien.

— Elle laisse un testament sur lequel sont couchés des amis, des voisins, des œuvres de bienfaisance... et vous, mademoiselle Crawford.

— Pourquoi moi ? Je la connaissais à peine ! Non, je ne peux pas accepter... S'il s'agit d'argent, donnez-le à une de ces œuvres de bienfaisance, et...

— Il ne s'agit pas d'argent mais de terres, et ma cliente tenait beaucoup à ce qu'elles vous reviennent. Elle se souvenait de vous comme d'une personne sérieuse et réfléchie, capable de bien gérer cet héritage.

Sara sentit sa migraine empirer. Elle allait devoir s'occuper d'une exploitation agricole ? Cela exigeait des compétences qu'elle n'avait sûrement pas, et son métier d'expert-comptable lui prenait déjà tout son temps...

— Où sont situées ces terres, maître ? demanda-t-elle.

— Ouvrez l'enveloppe, et vous le verrez.

Coinçant le combiné entre sa joue et son épaule, Sara obéit. Elle sortit un document dactylographié, puis une brochure aux couleurs vives.

« Devenez propriétaire d'un petit coin de paradis », lut-elle en haut de la première page, au-dessus de la photographie d'une île verdoyante perdue dans une vaste étendue d'eau bleue. La légende disait : « Thorne Island, tout le calme et la beauté d'une nature sauvage et préservée. »

— C'est d'une île que j'hérite ? s'écria la jeune femme, interdite.

— Oui, répondit le notaire. Thorne Island se trouve sur le lac Erié, à huit kilomètres au large de Sandusky et à un kilomètre et demi de South Bass Island.

— Je connais bien l'Ohio pour y avoir passé toute mon enfance, et je sais que certaines îles du lac Erié sont devenues des lieux de villégiature, mais je n'ai jamais entendu parler de Thorne Island.

— Cette île est très petite. Sa superficie n'excède pas vingt hectares, mais à en juger par le prospectus que je vous ai envoyé, c'est un endroit ravissant.

Sara ouvrit la brochure et, devant les deux nouvelles photographies qui figuraient à l'intérieur, sa stupeur céda la place à un frisson d'excitation. La première représentait un petit port aménagé au fond d'une crique, la seconde une jolie maison de style colonial, entourée d'une palissade dont la porte était surmontée d'un écriteau portant l'inscription « Cozy Cove Inn ».

Le reste du prospectus se composait de textes publicitaires vantant les agréments de l'île, de cartes et d'indications sur la façon de s'y rendre, d'informations sur les terrains à vendre et des coordonnées du promoteur chargé du projet, la Golden Isles Development Corporation.

— J'imagine que l'île a beaucoup changé depuis l'édition de cette brochure, observa Sara.

— Absolument pas, car l'opération immobilière ne s'est jamais réalisée. Aucune construction n'est venue s'ajouter aux quelques bâtiments d'origine, qui datent de plus d'un siècle.

— Qu'est-il arrivé ?

— Je vous ai parlé d'un procès, tout à l'heure. Il s'agissait d'un recours collectif des propriétaires de différentes îles des Grands Lacs contre la Golden Isles Development Corporation. Les dirigeants de cette société en avaient acheté plusieurs par des méthodes frauduleuses. Un journaliste du *Cleveland Plain Dealer* a révélé l'affaire, et les plaignants — dont Mlle Thorne — ont obtenu des dommages et intérêts importants. Quant aux coupables, ils sont toujours en prison, du moins à ma connaissance.

— Il y a encore des habitants sur l'île ?

— Quelques-uns, qui payaient un loyer à votre grand-tante, mais j'ignore leur nombre, et aucune rentrée d'argent régulière ne figure sur les douze derniers relevés bancaires de Mlle Thorne. J'ai trouvé la brochure dans ses papiers, et je vous l'ai envoyée pour vous donner une idée du bien dont vous héritez.

— Vous savez comment s'appelait cette île avant que ma tante ne la rebaptise ?

— Ile Bertrand, du nom du missionnaire qui l'a découverte lors d'une expédition financée par le roi de France.

L'excitation de Sara allait croissant. Le charme et la tranquillité de Thorne Island lui apparaissaient comme le remède idéal au stress de sa vie à Fort Lauderdale, et elle comprit soudain que ses vacances ne se passeraient pas dans la mer des Antilles.

— Je prendrai l'avion pour Cleveland samedi prochain, annonça-t-elle. Dois-je venir vous voir avant de me rendre sur l'île ?

— Non, ce ne sera pas nécessaire. Tout est en règle, sauf la question des impôts fonciers... Vous voulez que je m'en charge pour vous ?

— A combien s'élèvent-ils ?

— A trois mille huit cents dollars, cette somme incluant la pénalité appliquée à Mlle Thorne pour retard de paiement. Elle a visiblement ignoré les avis et les rappels du fisc pendant plusieurs années.

Trois mille huit cents dollars ! Sara frémit en pensant au trou que cela ferait dans ses économies, mais il n'y avait pas moyen de l'éviter, et ses revenus locatifs le combleraient peu à peu.

— Je vous envoie un chèque, dit-elle.

— Parfait ! Je vous souhaite un agréable séjour sur votre île. Au revoir, mademoiselle Crawford.

La jeune femme raccrocha et appela sa secrétaire.

— Candy ? Vous allez annuler mon billet d'avion pour Aruba et en prendre un pour Cleveland — départ le 17 avril et retour open.

— L'Ohio vous tente plus que les Caraïbes, brusquement ?

— Oui.

— Pourquoi ?

— C'est un peu long à expliquer... Vous voulez bien vous occuper de ce changement de réservation ?

— Tout de suite !

Les doigts de Sara composèrent d'eux-mêmes le numéro de son correspondant suivant, qui décrocha au milieu de la deuxième sonnerie.

— Station-service Texaco de Brewster Falls ! déclara une voix familière, au bout du fil.

— Bonjour, papa !

— Sara ! Quel plaisir de t'entendre ! Alors, quoi de neuf ?

— Tu n'en croiras pas tes oreilles quand je te le dirai, ce que je compte faire très bientôt de vive voix.

— Tu vas venir me voir ?

— Oui, la semaine prochaine, et c'est pour t'annoncer cette visite que je t'appelle.

— J'ai hâte d'y être !

Un élan de tendresse souleva la jeune femme. Son père était la personne qu'elle aimait le plus au monde.

La décision de Sara déçut et surprit les amis avec qui elle avait prévu d'aller à Aruba. Donald en fut particulièrement affecté, et il y avait même une pointe d'aigreur dans sa voix quand, pendant la conversation téléphonique où elle l'en informa, il observa :

— Le lac Erié est le dernier endroit où j'aurais envie, moi, de passer mes vacances ! Il est tellement pollué que toute vie en a disparu.

— Ce n'est plus vrai. Grâce aux campagnes d'épuration qui ont été menées, ses eaux sont maintenant propres. On peut y faire du bateau, et même s'y baigner sans risque.

— Aux Caraïbes aussi, et en cette saison, la température y est nettement plus agréable que dans l'Ohio !

Rien n'avait cependant le pouvoir de diminuer l'enthousiasme de Sara, et elle ne retint des commentaires acerbes de Donald que sa remarque à propos du temps : il lui fallait emporter des vêtements chauds, car le mois d'avril ne marquait pas toujours la fin de l'hiver dans la région des Grands Lacs.

Les jours qui précédèrent son départ furent les plus occupés de toute sa vie, mais elle parvint à remplir les déclarations de ses clients retardataires — y compris celle de Tony Papalardo — tout en s'occupant des mille détails pratiques qu'une absence prolongée exigeait de régler.

Lorsque Sara arriva à l'aéroport de Cleveland, elle loua une voiture et prit la direction de Sandusky. Elle savait qu'un ferry reliait ce port à Put-in-Bay, station balnéaire de South Bass Island, la plus grande des îles du lac Erié. Me Adams ayant dit qu'un kilomètre et demi seulement la séparait de Thorne Island, la fin du voyage ne poserait certainement pas de problème.

Put-in-Bay, que la jeune femme explora à pied — elle avait laissé sa voiture de location sur le parking de l'embarcadère de Sandusky — était un village pittoresque, aux ruelles bordées de maisons joliment rénovées. Un quartier commerçant avait été aménagé pour les besoins des vacanciers, mais ses quelques hôtels, ses cafés et ses boutiques, construits dans le respect du style local, ne déparaient pas l'ensemble.

La beauté de cette île rendit Sara plus impatiente encore de découvrir la sienne, et elle finit par retourner au port pour s'informer sur les moyens de s'y rendre.

— Nous n'assurons pas la liaison avec Thorne Island, lui annonça cependant l'employé de la compagnie de ferries à qui elle s'adressa.

— Comment les gens y vont-ils, alors ?

— Cet endroit n'intéresse pas les touristes. La seule personne à faire la traversée est Winkleman, deux ou trois fois par semaine.

— Parfait ! Où puis-je le trouver ?

— Au bar des Pêcheurs. C'est son quartier général, à l'heure de l'apéritif.

— Vous pouvez m'indiquer le chemin et me dire à quoi ressemble M. Winkleman ?

Munie de ces informations, Sara entrait dix minutes plus tard dans l'établissement. Elle aperçut très vite, accoudé au comptoir au milieu d'un cercle bruyant d'amis, l'homme dont elle voulait louer les services.

— Excusez-moi, dit-elle en lui donnant une petite tape sur l'épaule. Vous êtes bien M. Winkleman ?

— Lui-même ! répondit-il. Vous désirez ?

— Je cherche quelqu'un pour m'emmener à Thorne Island, et il paraît que vous y allez régulièrement.

Winkleman posa sa chope, essuya d'une main la moustache laissée par la bière au-dessus de sa lèvre supérieure et repoussa de l'autre la vieille casquette de marin qui coiffait ses épais cheveux gris.

— C'est exact, indiqua-t-il, mais j'y suis allé hier et je ne compte pas y retourner avant après-demain.

Aussi attrayant que soit Put-in-Bay, Sara n'avait pas l'intention d'y passer deux jours à ne rien faire.

— Je dois absolument me rendre là-bas aujourd'hui, expliqua-t-elle, et si vous acceptez de m'y emmener tout de suite, votre prix sera le mien.

Les sourcils broussailleux de son interlocuteur se froncèrent. Il fixa un instant la jeune femme en silence, puis annonça :

— C'est vingt dollars.

— Entendu !

— Vous avez des bagages ?

— Oui. Je les ai laissés à la consigne du port.

— Je vous y rejoins dans un moment, le temps de finir ma bière.

Sara quitta le bar convaincue d'avoir fait une bonne affaire, mais une demi-heure plus tard, elle commença à se demander si vingt dollars n'étaient pas cher payé pour monter dans un bateau qui empestait le poisson et où elle chercha en vain un endroit sec pour poser ses valises.

Pendant la traversée, la jeune femme essaya d'obtenir des informations sur les habitants de Thorne Island, mais le bruit du moteur rendait la conversation difficile, et Winkleman n'était de toute façon pas du genre bavard. Il se contenta de dire que « tous les gens de là-bas » étaient de bons amis à lui.

Un point vert apparut bientôt à l'horizon. Le cœur battant, Sara alla se poster à l'avant, et les contours de son île se précisèrent peu à peu. De loin, il lui sembla reconnaître la crique représentée sur la brochure, mais quand le bateau s'en approcha, elle ne vit en lieu et place du joli petit port attendu qu'une jetée de bois aux planches disjointes soutenue par des pilotis qui penchaient dangereusement.

Winkleman accosta, puis aida sa passagère à débarquer. Elle regarda autour d'elle. Il n'y avait là ni bateaux ni maisons de pêcheurs. Une vieille cabane aux vitres cassées était la seule construction visible aux alentours, et le rivage ressemblait à un terrain vague envahi par les mauvaises herbes.

— C'est joli, hein ? observa Winkleman, qui avait entrepris de hisser les bagages de Sara sur la jetée. Certaines de ces îles sont pratiquement à l'abandon, mais les habitants de celle-ci en prennent bien soin.

Craignant de le vexer en critiquant ses amis, la jeune femme s'abstint de tout commentaire. Elle était très déçue, mais peut-être le reste de l'île était-il plus accueillant ? Peut-être une bonne surprise l'attendait-elle au bout du sentier qui se devinait entre deux rangées d'arbres et de buissons ?

— Il y a un hôtel ici, n'est-ce pas ? demanda-t-elle.

Son interlocuteur fronça les sourcils, l'air perplexe, puis il s'exclama, comme frappé par une illumination :

— Oui, le Cozy Cove ! Le chemin que vous voyez là-bas y mène directement.

Sara sentit son optimisme revenir. La belle maison de style colonial qui figurait sur la brochure existait vraiment, c'était déjà ça ! La jetée avait certes besoin de réparations, mais elles ne coûteraient sans doute pas très cher, et si le Cozy Cove avait des résidents permanents, ils devaient l'avoir maintenu en bon état. Elle tendit un billet de vingt dollars à Winkleman, qui remit aussitôt le moteur en marche et agita la main en guise d'au revoir.

Une brusque appréhension saisit la jeune femme à l'idée que son seul lien avec la civilisation allait se rompre : l'île n'était peut-être pas équipée du téléphone et, dans sa hâte de partir, elle avait oublié son portable à Fort Lauderdale.

— Attendez ! cria-t-elle. Comment puis-je vous joindre ?

— Vous n'en aurez pas besoin ; je reviens dans deux jours.

— S'il vous plaît !

— Bon, je vais vous donner mon numéro... Le vieux Brody a un portable ; il acceptera sans doute de vous le prêter.

Winkleman griffonna quelque chose sur un morceau de papier et le tendit à Sara, qui se dépêcha de le mettre dans son sac avant que le vent ne le lui arrache des mains. Ce numéro de téléphone et un portable appartenant à un parfait inconnu lui semblaient soudain indispensables à sa survie.

Le temps qu'elle referme son sac, le bateau était déjà à une centaine de mètres de la jetée. Elle souleva ses valises et gagna le rivage persuadée de laisser le pire de Thorne Island derrière elle et ravie à la pensée d'en découvrir bientôt le meilleur.

Sa désillusion fut à la mesure de ses espoirs quand, arrivée au bout d'un chemin cahoteux, elle vit ce qu'était devenu le Cozy Cove. Seul l'écriteau fixé au-dessus de la porte de la palissade attestait qu'il s'agissait bien de la maison de la brochure. Le reste était à peine reconnaissable : la peinture des murs s'écaillait, le toit de la véranda adossée à la façade s'affaissait par endroits, et les piliers de bois qui le soutenaient paraissaient vermoulus...

Jusque-là occultée par l'idée excitante de posséder une île, toute la fatigue accumulée pendant cette journée et les précédentes s'abattit d'un coup sur Sara. Elle gravit d'un pas lourd les marches qui menaient à la véranda, posa ses valises et s'écroula dans le siège le plus proche.

Elle n'aurait su dire combien de temps s'était écoulé quand son regard fut finalement attiré par les corbeilles de fleurs suspendues aux poutres. Cela signifiait que la maison n'était pas totalement à l'abandon. Un peu rassérénée, Sara se leva et se dirigea vers la porte.

Le vestibule dans lequel elle entra lui parut d'autant plus vaste que son seul mobilier se composait d'un bureau de réception, d'une pendule comtoise — arrêtée — et de deux fauteuils en cuir. A gauche, une arcade donnait sur un salon dont tous les meubles étaient recouverts de housses blanches à l'exception d'un canapé et d'une table basse. Des étagères pleines de livres occupaient entièrement l'un des murs, et les trois autres s'ornaient de gravures représentant des scènes champêtres.

La jeune femme poursuivit sa progression avec le sentiment d'être une intruse plutôt que la propriétaire des lieux. A cela s'ajoutait l'impression angoissante que l'hôtel, apparemment vide, ne l'était pas en réalité. Elle ne croyait pas aux fantômes, et pourtant elle sentait une présence, aussi réelle en cet instant que la rampe en chêne massif dont elle s'aida pour monter l'escalier.

Un couloir partait du palier du premier étage, bordé d'une double rangée de portes, toutes fermées sauf une, la plus éloignée. Elle s'en approcha prudemment. Sa raison lui disait que Winkleman l'aurait prévenue si l'île présentait un danger quelconque pour une femme seule, mais c'était plus fort qu'elle : ses nerfs à vif lui faisaient scruter anxieusement la pénombre et tendre l'oreille, prête à tourner les talons à la moindre alerte.

Alors qu'elle arrivait près de la chambre ouverte, un petit bruit lui parvint. Bien que familier, il tranchait tellement avec l'atmosphère vieillotte de la maison qu'elle crut d'abord se tromper, mais non, c'était bien le cliquetis des touches d'un clavier d'ordinateur...

Sara s'arrêta sur le seuil et vit un homme assis devant une table, le dos à la porte. De larges épaules se dessinaient sous un T-shirt bleu marine dont d'épaisses boucles noires recouvraient le col. Les mains qui pianotaient sur le clavier s'immobilisèrent soudain, puis une voix grave s'éleva dans le silence :

— Si vous espériez me faire mourir de peur, c'est raté. Et si vous êtes venu dans l'intention de me tuer, il va vous falloir une arme.

2.

Les paroles de l'homme étaient si inattendues que Sara mit quelques secondes à en comprendre le sens. Elle se demanda ensuite si elle devait rire ou s'enfuir à toutes jambes, avant d'opter pour une troisième solution :

— Vous ne seriez pas un peu parano ? demanda-t-elle.

Le vieux fauteuil pivotant grinça quand son interlocuteur se tourna lentement vers elle.

— Non, répondit-il. Je trouve normal de m'inquiéter quand j'entends quelqu'un s'introduire subrepticement chez moi et s'approcher de ma chambre sur la pointe des pieds... Je ne savais pas qu'il s'agissait d'une femme.

Il était maintenant face à Sara, mais elle ne distinguait pas ses traits : il lui apparaissait à contre-jour, simple silhouette qui se découpait sur le fond clair des persiennes à demi fermées. Elle, en revanche, était en pleine lumière, et cela la plaçait dans une situation d'infériorité qu'elle n'appréciait pas du tout.

— Le fait que je sois une femme ne change rien au problème, observa-t-elle sèchement. Je pourrais, tout aussi bien qu'un homme, être venue dans le but de vous assassiner.

— Oui, mais vous ne le ferez pas. Les femmes ne tuent jamais une personne dont elles ont croisé le regard.

— Alors si j'étais vous, je ne me sentirais pas complètement en sécurité, car je n'ai pas encore vu vos yeux.

— Vous voulez que j'ouvre les volets ? demanda-t-il.

Puis, sans attendre la réponse, il se leva et se dirigea vers la fenêtre. Un instant plus tard, les rayons du soleil couchant inondaient la pièce, révélant à Sara un homme au physique plus qu'agréable. A part des cheveux un peu trop longs et une barbe de deux jours, elle trouva tout à fait à son goût les prunelles grises, le nez droit et la bouche sensuelle qui composaient ce visage à la fois ouvert et énergique. La jeune femme lui donna une trentaine d'années et en conclut que ce n'était pas « le vieux Brody » mentionné par Winkleman.

— Maintenant que votre curiosité est satisfaite, je peux savoir pourquoi vous êtes entrée ici en catimini ? dit-il.

— Je n'ai rien fait de tel ! Tout effort de discrétion aurait d'ailleurs été vain, après une arrivée aussi bruyante... Vous avez sûrement entendu le moteur du bateau qui m'a amenée.

— En effet, mais j'ai pensé que Winkie avait oublié de nous livrer une partie de notre commande, hier, et qu'il revenait nous l'apporter. Jamais je n'aurais imaginé qu'il débarquerait une passagère, et que cette passagère viendrait ensuite fureter chez moi, sans le moindre respect pour mon intimité.

La perception qu'avait Sara de son interlocuteur changea brusquement : elle ne vit plus en lui un homme séduisant, mais un affreux machiste qui considérait toutes les femmes comme des êtres indiscrets, sournois et envahissants.

— Permettez-moi de vous signaler que vous n'êtes pas ici chez vous, mais chez moi ! s'exclama-t-elle d'une voix vibrante de colère. J'ai donc le droit d'y entrer et de m'y promener comme bon me semble !

— Qu'est-ce que vous racontez ?

— Cet hôtel m'appartient, monsieur. Toute l'île m'appartient, en fait, et si vous ne me croyez pas, lisez ceci...

Sara prit dans son sac le titre de propriété envoyé par Me Adams, et le tendit à son interlocuteur.

— Qu'est-il arrivé à Millie ? déclara-t-il après avoir parcouru le document.

Sara fut soulagée de l'entendre prononcer le nom de la vieille dame. Elle n'avait pas affaire à un squatter, c'était déjà ça.

— Millicent est morte la semaine dernière, répondit-elle d'un ton radouci.

— Morte ? Pourquoi n'en ai-je pas été informé ?

— Vous connaissiez ma tante personnellement ?

— C'est... C'était votre tante ?

— Ma grand-tante, plus exactement.

— J'ignorais qu'elle avait une nièce, mais je la connaissais, bien sûr ! Cela fait six ans que je vis sur son île.

— Et un an que vous ne payez pas votre loyer.

— Vous vous trompez ! Je l'ai toujours payé, mais Millie a décidé un jour de ne plus le toucher. Elle n'avait pas besoin de cet argent, m'a-t-elle expliqué. Je devais garder les chèques et attendre pour les lui envoyer qu'elle me le demande.

— Pourquoi ?

— C'est à elle qu'il aurait fallu poser la question, mais si elle était encore là, je pense qu'elle parlerait de confiance.

— Elle avait confiance en vous ?

— Oui, et elle avait raison.

Sur ces mots, l'homme ouvrit le tiroir de la table et en sortit une petite liasse de chèques attachés avec un trombone. Il la mit sous le nez de Sara et l'agita jusqu'à ce qu'elle la prenne.

— Ils sont tous là, classés par ordre chronologique, précisa-t-il.

La jeune femme les inspecta un à un. Ils étaient libellés à l'ordre de Millicent Thorne, signés « N. Bass », et il y en avait bien douze, mais la somme inscrite dessus choqua l'expert-comptable en elle.

— Vous ne payiez à ma tante que cent dollars par mois ?

— C'est elle qui avait fixé le montant du loyer.

— Moyennant cette somme ridicule, vous disposez donc d'un hôtel tout entier — que vous ne vous êtes même pas donné la peine de maintenir en bon état, soit dit en passant… Vous avez fait une excellente affaire !

— Je ne me plains pas.

— Encore heureux ! observa Sara en rangeant les chèques et le titre de propriété dans son sac. Je me vois cependant dans l'obligation d'augmenter dès aujourd'hui votre loyer afin de couvrir en partie au moins le coût des travaux de rénovation.

— Vous ne le pouvez pas.

— Et pourquoi donc ?

— Parce que j'ai un bail de vingt-cinq ans, dont une clause interdit toute augmentation de loyer.

— Je ne vous crois pas ! Même si vous aviez tenté de faire accepter à ma tante un marché aussi désavantageux pour elle, son notaire n'aurait jamais…

— C'est de Me Adams que vous parlez ?

— Vous le connaissez, lui aussi ?

— Oui. Il était présent lors de la signature du bail, et il a déconseillé à Millie de se montrer aussi généreuse, mais elle ne l'a pas écouté. Nous étions amis, elle et moi. Je lui ai rendu service autrefois, et c'était sa façon de me remercier.

Ces mots furent ponctués d'un sourire moqueur qui acheva d'irriter Sara. Elle se força à respirer lentement pour recouvrer son sang-froid : il lui fallait analyser la situation de manière rationnelle et, pour y parvenir, elle ne devait pas se laisser emporter par la colère.

— D'accord, je vous crois, déclara-t-elle, mais Thorne Island m'appartient, maintenant, et le contrat que vous avez passé avec ma tante n'est plus valable. Si je veux augmenter votre loyer, j'en ai parfaitement le droit.

— Non, vous ne l'avez pas. Millie a inclus dans mon bail — et dans celui de tous les autres habitants de l'île — une clause qui en rend les conditions applicables aux futurs propriétaires de l'île. Vous pouvez contester cette clause devant les tribunaux si ça vous chante, mais cela prendra du temps et vous coûtera beaucoup d'argent pour un résultat incertain.

— Sans compter que quelqu'un vous tuera peut-être avant la fin du procès, observa Sara, et que je n'aurai alors même pas le plaisir de voir votre tête le jour où la justice tranchera en ma faveur.

Pour la première fois, un franc sourire éclaira le visage de son interlocuteur, et elle sentit diminuer légèrement son antipathie pour lui. Elle était cependant encore loin de le trouver sympathique, et l'idée de l'avoir comme locataire pendant les dix-neuf années à venir ne la réjouissait pas du tout.

— Comme je m'en voudrais de vous priver de ce plaisir, dit-il, je vous promets de faire attention à moi, madame…

— Mademoiselle. Mlle Sara Crawford.

— Ravi de l'apprendre.

— D'apprendre quoi ?

— Qu'en plus d'être jolie, vous êtes célibataire. Si vous aviez été laide ou mariée, nos relations n'auraient eu aucune chance de s'améliorer, mais comme vous n'êtes ni l'un ni l'autre, leur avenir m'apparaît sous les meilleurs auspices.

Cette remarque prononcée sur un ton narquois ranima la colère de Sara, et elle allait répliquer vertement quand un appel retentit, lancé d'une voix de stentor depuis le vestibule :

— Nick ? Tout va bien, là-haut ?

La jeune femme sursauta violemment.

— Qui… qui est-ce ? balbutia-t-elle.

— Dexter Sweet, ancien linebacker de l'équipe des Cleveland Browns. Il a des épaules de déménageur et des cuisses aussi larges que des roues de camion, mais il ne faut pas avoir peur de lui : c'est un tendre, qui ne ferait pas de mal à une mouche.

— Peut-être pas volontairement, mais il devrait éviter de hurler comme ça : j'ai failli avoir une crise cardiaque.

— Mieux vaut crier depuis le rez-de-chaussée pour annoncer sa présence dans une maison que de monter l'escalier sur la pointe des pieds et d'arriver sans prévenir dans le dos des gens.

— Je vous ai déjà dit que…

— Tout va bien, Dexter ! Nous avons juste de la visite.

Un homme à la peau couleur d'ébène et à la silhouette massive venait d'apparaître dans l'embrasure de la porte. Il correspondait en tout point à la description physique donnée par Nick Bass — qui avait seulement omis de parler de sa taille. Sara l'estima à près de deux mètres.

Après lui avoir jeté un regard surpris, Dexter déclara à son ami :

— J'ai entendu le bateau de Winkie, et comme il ne devait pas revenir avant deux jours, je me suis inquiété. J'ai voulu demander aux autres s'ils savaient ce qui se passait, mais Ryan est introuvable, et Brody dormait quand je suis allé chez lui.

— Winkie nous a amené notre nouvelle propriétaire, expliqua Nick. Je te présente Mlle Sara Crawford... Mademoiselle Crawford, voici Dexter Sweet...

La jeune femme s'avança, et l'ancien joueur de football américain serra avec une délicatesse surprenante la main qu'elle lui tendit. Et son visage rond, empreint d'une candeur presque enfantine, acheva de la convaincre que Nick Bass n'avait pas menti : bien que bâti en hercule, cet homme n'avait rien d'une brute épaisse.

— Si j'ai bien compris, monsieur Sweet, dit-elle, vous résidez vous aussi sur cette île.

— Oui, depuis bientôt six ans.

— Quel est le montant de votre loyer ?

— Cent dollars.

— Je vois... Et j'imagine que vos paiements de ces douze derniers mois sont chez vous, dans l'attente d'un hypothétique envoi ?

— Non, ils sont avec ceux de Nick.

Ce dernier rouvrit le tiroir de la table, en sortit une deuxième liasse de chèques et la remit à Sara. Ils étaient tous remplis à l'ordre de sa grand-tante et portaient la signature de Dexter Sweet.

Le total de ces loyers ne suffirait même pas à couvrir les impôts fonciers et leur pénalité de retard, mais c'était mieux que rien…

— Merci, messieurs, murmura la jeune femme. Je vais maintenant m'installer dans une chambre. Où pourrai-je trouver du linge de maison propre ?

— Dans le placard du couloir, répondit Nick. Les draps neufs qu'il contient m'appartiennent, mais je vous autorise à en prendre une paire ; les autres doivent sentir le moisi. Pour le reste, faites comme chez vous !

— Mais je suis chez moi, monsieur Bass ! répliqua Sara avant de quitter la pièce.

Nick ressentit soudain un violent élancement à la jambe. Il regagna son fauteuil en boitillant, et Dexter lui demanda d'une voix inquiète :

— Tu fais bien tes exercices tous les jours, j'espère ?

— Oui, je suis tes prescriptions à la lettre, mais même au bout de six ans, j'ai encore du mal à supporter les longues stations debout. Il faut que je m'y résigne.

Dexter secoua la tête d'un air attristé, puis il alla s'asseoir de l'autre côté du bureau et déclara :

— Si tu m'expliquais ce qui se passe, à présent ? Qui est cette Sara Crawford ?

— La petite-nièce de Millicent Thorne. Millie est morte la semaine dernière et lui a laissé l'île. Le titre de propriété que j'ai vu ne laisse aucun doute là-dessus.

— Qu'est-ce qui va nous arriver ?

— Eh bien, maintenant que j'ai eu quelques minutes pour y réfléchir, je pense que Millie nous a rendu un grand service.

— Il n'y avait pourtant pas de meilleure propriétaire !

— Non, mais nous savions qu'elle ne vivrait pas éternellement, et le legs de Thorne Island à sa nièce est un moindre mal comparé à tout ce qui aurait pu advenir. Sara va sans doute rester ici juste le temps d'inspecter son domaine et d'y établir son autorité. Avec ses habits élégants, ses bonnes manières et ses ongles manucurés, c'est de toute évidence une fille des villes. L'idée d'habiter une île perdue au milieu du lac Erié ne la tente sûrement pas.

Nick avait remarqué chez Sara d'autres attributs, et des plus agréables, mais il n'avait pas jugé utile de les mentionner.

— Tu as raison, convint Dexter. La compagnie de types comme nous n'a rien pour plaire à une femme comme elle.

— Exactement ! Je ne lui donne pas trois jours pour partir, et ensuite, nous serons aussi tranquilles qu'avant. La seule différence, c'est que nous devrons lui envoyer nos chèques de loyer tous les mois.

Visiblement rassuré, Dexter se leva et se dirigea vers la porte, mais il s'arrêta en chemin pour demander :

— Elle a vu ce qu'il y avait sur ton écran d'ordinateur ?

— Je ne crois pas, répondit Nick, et même dans le cas contraire, elle n'a pu se douter de rien, car c'est le nom de Nicolas Bass qui figure dans l'en-tête de mes documents informatiques. Pourquoi s'intéresserait-elle aux élucubrations d'un vieux misanthrope de mon espèce, d'ailleurs ?

Après être allée chercher ses valises et avoir pris des draps dans le placard, Sara choisit pour s'installer la chambre la plus éloignée de celle de Nick. Le bouton électrique placé près de la porte commandait une ampoule nue qui grésilla avant d'éclairer une pièce elle aussi remplie de meubles recouverts de housses blanches.

Toute l'installation électrique du Cozy Cove était sûrement à refaire, songea la jeune femme, et la pensée de ce que cela lui coûterait lui donna froid dans le dos.

Elle déplia un drap et l'étala sur le matelas du lit. Une senteur fraîche lui monta aux narines, une bonne odeur de grand air qui lui rappela son enfance : comme sa mère autrefois, Nick Bass étendait la lessive dehors. A supposer qu'il y ait un sèche-linge dans l'hôtel, il ne marchait sans doute plus depuis longtemps.

L'île tout entière devait être à l'image de cette maison, c'est-à-dire sans confort. La présence d'un ordinateur dans la chambre de Nick avait d'autant plus étonné Sara. Elle avait essayé de lire ce qui s'affichait sur l'écran, mais il lui aurait fallu pour cela s'en approcher de plus près, et Nick l'aurait de nouveau taxée d'indiscrétion. Elle avait cependant reconnu le format d'un traitement de texte très répandu, ce qui avait achevé d'exciter sa curiosité.

« C'est étrange », se dit-elle en bordant le drap de dessous. L'opinion qu'elle s'était faite de Nick le plaçait dans la catégorie des amateurs de jeux vidéo plutôt que dans celle des intellectuels…

Le colosse au regard ingénu qu'était Dexter Sweet l'ayant également surprise, Sara se demanda si ses autres locataires étaient aussi bizarres que ces deux-là. La huitaine de jours qu'elle allait passer à Thorne Island lui suffirait-elle pour comprendre ses habitants, et en particulier l'irritant mais très sexy M. Bass ?

Elle n'en était pas certaine.

3.

La chambre que Sara avait choisie s'avéra finalement très agréable. Une fois les housses enlevées, elle découvrit de jolis meubles, dont une armoire en noyer décorée de fleurs peintes au pochoir, et deux beaux fauteuils anciens. Un époussetage soigneux révéla aussi des volets en meilleur état qu'ils n'en avaient l'air.

Satisfaite de son installation, la jeune femme se tourna vers un autre problème, celui de la nourriture. Le Cozy Cove n'étant visiblement pas un hôtel en exploitation, il était inutile d'espérer y trouver un restaurant. Le petit déjeuner pris dans l'avion et le sandwich acheté à Put-in-Bay étaient pourtant loin : Sara mourait de faim, et elle descendit au rez-de-chaussée bien décidée à puiser dans les provisions de Nick Bass. S'il avait la grossièreté de le lui reprocher, elle calculerait au centime près le prix de son dîner et le lui rembourserait.

Derrière le bureau de la réception, en face du salon, s'ouvrait une salle à manger où un drap blanc dessinait les contours d'une grande table et de huit chaises. Sara traversa la pièce dans la pénombre du crépuscule et entra dans la cuisine. Elle tourna le bouton électrique, et une autre ampoule nue projeta sa lumière crue sur un sol recouvert de tommettes rouges.

Une rapide inspection des lieux lui permit de voir qu'ils disposaient d'équipements de type professionnel, mais qu'aucun des appareils n'avait servi depuis longtemps : le dessus de la cuisinière était recouvert d'un écœurant mélange de graisse et de poussière, le hublot des deux fours superposés complètement encrassé, et l'intérieur de l'énorme réfrigérateur tapissé de moisissures.

Des casseroles et des poêles de toutes tailles pendaient du plafond, fixées à des crochets de cuivre, tandis que d'autres s'entassaient pêle-mêle sur le plan de travail. Une table en chêne entourée de quatre chaises paillées parut d'abord relativement nette à Sara, mais en la regardant de plus près, elle constata que des restes de substances non identifiées étaient allés se loger dans les fissures du bois.

Ce spectacle lui aurait définitivement coupé l'appétit si elle n'avait soudain aperçu, dans un angle de la pièce, un coin repas brillant de propreté. Equipé d'un petit réfrigérateur, d'un réchaud et d'un four à micro-ondes flambant neuf, il laissait présager la présence de nourriture consommable à proximité.

La jeune femme s'en approcha et entreprit d'explorer les placards de cet îlot de modernité à la recherche de boîtes de conserve ou de produits frais. Le premier contenait des ustensiles de cuisine, de la vaisselle et des couverts, et elle ouvrait la porte d'un deuxième quand une voix s'éleva, derrière elle :

— Je peux vous aider, mademoiselle Crawford ?

Comme un enfant surpris le doigt dans un pot de confiture, Sara referma vivement le placard et se retourna en bredouillant :

— Vous... vous m'avez fait peur, monsieur Bass ! Je ne vous avais pas entendu arriver.

— Alors nous sommes à égalité.

Le sourire moqueur qui l'avait tant agacée lors de leur première rencontre flottait sur les lèvres de Nick. Il se dirigea vers elle d'une démarche qui se voulait nonchalante, mais où elle crut déceler une légère claudication. La surface inégale du carrelage pouvait en être la cause et, pour ne pas risquer de se voir soupçonnée de curiosité malsaine, elle se força à détourner les yeux des longues jambes minces de Nick, moulées dans un jean étroit.

— Je ne savais pas que nous disputions un match, observa-t-elle froidement.

— Oh ! si, vous le saviez, Sara ! Et vous êtes vexée parce que vous ne menez plus au score.

— N'importe quoi ! répliqua-t-elle en rouvrant le placard pour cacher à Nick le rouge qui lui était monté aux joues en l'entendant l'appeler par son prénom.

— Si vous m'expliquiez, maintenant, ce que vous faites dans ma cuisine — pardon, dans *votre* cuisine —, à fouiller dans *mes* affaires ?

La jeune femme referma le placard. Il ne contenait que des produits détergents, mais elle en retint l'emplacement : ils lui serviraient dès le lendemain à nettoyer la pièce à fond.

— Je cherche à manger, répondit-elle, mais pour en revenir à *ma* cuisine, permettez-moi de vous dire que je suis révoltée par l'état de saleté dans lequel vous l'avez laissée tomber.

— Je suis locataire ici, pas homme de ménage, et seul l'entretien de ma chambre et du coin repas que j'utilise me concerne.

— J'ai trop faim pour discuter, alors restons-en là, et comme, contrairement à ce que vous avez l'air de penser, je déteste fouiller dans les affaires des autres, si vous me disiez où vous rangez vos provisions ? Je vous rembourserai celles que j'aurai consommées, bien entendu.

— Vous pouvez en acheter sur l'île.

Sara trouvait beaucoup plus simple sa solution à elle, mais devant la mauvaise volonté évidente de son interlocuteur, elle se résigna à dire :

— J'ignorais qu'il y avait une épicerie à Thorne Island... Où est-elle ?

— Il ne s'agit pas vraiment d'une épicerie. Brody se charge de commander le ravitaillement, comme il l'appelle dans son langage d'ex-marine, et nous allons nous fournir à « l'intendance », c'est-à-dire chez lui. Réflexion faite, cependant, il n'y est pas en ce moment : il pêche tous les jours à la tombée de la nuit. Je vais donc vous donner de quoi manger sur mes réserves personnelles et à mes frais, en cadeau de bienvenue... Vous aimez la soupe ?

— Oui, répondit Sara, soudain nettement mieux disposée envers Nick Bass.

— Champignons ou tomate ?

— C'est tout ce que vous avez ?

— Brody n'a pas beaucoup d'imagination en matière culinaire.

— Tomate, alors.

Nick alla sortir une boîte de conserve du bahut placé près de la porte du jardin. Il ouvrit ensuite le petit réfrigérateur et demanda :

— Quelle garniture voulez-vous pour votre sandwich ?

— Qu'avez-vous à me proposer ?

— Salami et... salami. Pour les boissons, en revanche, il y a plus de choix : j'ai six marques de bière différentes et une canette de soda.

— Vous avez des vues sur le soda ?

— Non, je vous le laisse. Asseyez-vous, maintenant ! Je vais pousser l'obligeance jusqu'à faire la cuisine. Je n'ai pas encore dîné, moi non plus.

Entre ce moment et la fin du repas, il se passa moins d'une demi-heure, pendant laquelle la conversation porta essentiellement sur Millicent Thorne. Sara admit qu'elle ne la connaissait pas très bien, et avoua même se sentir coupable de ne pas avoir gardé le contact avec elle.

— C'est dommage, en effet, observa Nick. Vous vous seriez très bien entendues, toutes les deux. Vous avez beaucoup de points communs.

Il n'en dit pas plus, et la jeune femme décida de prendre sa remarque comme un compliment.

— Vous pensez revenir prendre quelque chose dans le réfrigérateur ce soir ? déclara-t-il quand la vaisselle fut lavée et rangée.

— Non. Pourquoi ?

— Je coupe toujours le groupe électrogène avant de me coucher, par mesure d'économie. Si personne n'ouvre le réfrigérateur jusqu'au lendemain, la température y reste constante, et je me lève tôt le matin.

— Cela signifie qu'il n'y a pas d'électricité dans la maison la nuit ? s'écria Sara, alarmée.

— Evidemment, mais les lampes à pétrole que vous avez peut-être vues sur la table basse du salon sont là pour ça. Allez en chercher une, pendant que je m'occupe du groupe électrogène.

— Il se trouve dans une dépendance, j'imagine ?

— Oui, dans un appentis, au fond du jardin.

— Mais il fait noir, dehors ! Comment comptez-vous vous éclairer ?

En guise de réponse, Nick montra du doigt le bahut, et la jeune femme aperçut la torche électrique posée dessus.

Il se dirigea ensuite vers le meuble, et en boitant de façon prononcée, cette fois. La crispation de ses mâchoires indiquait aussi qu'il souffrait, et comme l'atmosphère entre eux s'était nettement détendue, Sara s'autorisa à lui demander :

— Ça va, monsieur Bass ?

— Pourquoi cette question ?

— Eh bien, j'ai remarqué que vous aviez un peu de peine à marcher, et...

— Et vous voulez en connaître la raison ?

— Oui, si ce n'est pas trop indiscret.

— Il y a quelques années, j'ai reçu dans le bas de la colonne vertébrale une balle qui a causé pas mal de dégâts.

— Une balle ? Quelqu'un vous a tiré dessus ?

— Oui, et quand je vous ai dit, tout à l'heure, qu'il vous faudrait vous servir d'une arme pour me tuer si telle était votre intention, je savais de quoi je parlais... Bonsoir, Sara !

Ces derniers mots furent prononcés depuis la terrasse qui surplombait le jardin, et, comprenant qu'elle n'en apprendrait pas plus, la jeune femme regarda la silhouette qui commençait déjà à se fondre dans la nuit et lança :

— Bonsoir, Nick !

Le lendemain matin, Sara fut réveillée par un bruit de voix venant du dehors. Elle se leva et ouvrit les volets juste assez pour voir sans être vue. Une brise fraîche lui frappa le visage, apportant avec elle l'odeur capiteuse des fleurs plantées dans les corbeilles de la véranda.

Quatre hommes se tenaient dans la cour du Cozy Cove : Nick Bass, Dexter Sweet et deux inconnus. Le premier, de taille moyenne et coiffé d'un chapeau de paille, avait du ventre et le dos un peu voûté — la jeune femme en déduisit qu'il s'agissait du « vieux Brody ». Le second était petit et mince, avec des cheveux mi-longs attachés sur la nuque par une lanière de cuir ; aucun autre nom n'ayant été prononcé devant Sara, ce devait être le Ryan dont Dexter avait parlé la veille, et elle était donc en train d'assister à une assemblée générale des colocataires de Thorne Island.

— Quelle guigne ! s'écria Brody. Combien de temps va-t-elle rester ?

Ce fut Nick qui répondit, mais si bas que Sara ne comprit pas ce qu'il disait.

Le petit homme au catogan prononça ensuite quelques phrases, en jetant de fréquents coups d'œil vers la maison. La jeune femme se recula instinctivement, ce qui l'empêcha de distinguer ses paroles, mais à en juger par son ton, la présence d'une étrangère sur l'île ne lui plaisait pas plus qu'à Brody.

Lorsqu'elle se risqua à se rapprocher de la fenêtre, elle entendit ce dernier s'exclamer en hochant vigoureusement la tête :

— Je suis d'accord avec Ryan ! Cette femme n'a rien à faire ici. Millie nous a toujours laissés tranquilles, elle !

Dexter leva les mains en signe d'apaisement, puis déclara :

— Le problème sera vite réglé. Nick m'a assuré, hier soir, qu'elle serait partie dans les…

Un geste de l'intéressé en direction du premier étage réduisit l'ancien footballeur au silence. Quatre paires d'yeux se levèrent vers la fenêtre de Sara, qui se recula de nouveau. Les hommes s'éloignèrent alors, et elle les suivit du regard jusqu'à ce qu'ils disparaissent au détour du chemin qui menait à la jetée.

— Quel comité d'accueil, je me sens vraiment la bienvenue ! marmonna-t-elle avant d'enfiler son peignoir et de sortir de sa chambre pour se rendre dans la salle de bains, au bout du couloir.

Construit à la fin du XIXe siècle, le Cozy Cove avait gardé son architecture d'origine. Les installations sanitaires avaient cependant été modernisées — sans doute dans les années 50 — et rien ne semblait avoir changé depuis. Sara avait pu constater la veille au soir que, si tout fonctionnait bien, une pression insuffisante rendait le débit de l'eau beaucoup plus faible que la normale.

Il lui fallut donc un temps infini pour se doucher et il était presque 9 heures quand, vêtue d'un jean et d'un T-shirt de San Francisco, ses cheveux encore humides coiffés en queue-de-cheval, elle descendit au rez-de-chaussée. Nick étant parti, elle allait devoir fouiller dans ses provisions à la recherche de café, mais ce serait la dernière fois : la liste des activités de la journée qu'elle avait établie comprenait des courses à « l'intendance » en plus du nettoyage de la cuisine.

La lumière du jour accentuait encore le contraste entre la propreté du coin que Nick s'y était aménagé et la saleté du reste de la pièce, mais la bonne surprise qui attendait Sara lui remonta le moral : Nick avait préparé du café et laissé l'appareil allumé pour le tenir au chaud. Il avait aussi posé bien en vue sur la table une tasse et un paquet de sucre. La jeune femme sourit. Ces attentions n'étaient pas loin de lui faire réviser le jugement qu'elle avait porté sur lui la veille.

Deux tranches de pain de mie et du beurre trouvés dans le réfrigérateur complétèrent son petit déjeuner. Pleine d'énergie, elle sortit ensuite les produits d'entretien de leur placard et entreprit de récurer la cuisinière. Il lui fallut plus d'une heure pour venir à bout de la couche de graisse et de poussière qui la recouvrait, mais le résultat la ravit, et elle décida de s'attaquer au carrelage. Elle avait besoin pour cela d'un balai, d'une serpillière et d'un seau. La porte située dans un angle de la cuisine pouvant être celle d'un cagibi, elle s'en approcha et posa la main sur le bouton, mais la voix de Nick l'empêcha de le tourner :

— A votre place, je n'irais pas à la cave !

Comme la veille, elle ne l'avait pas entendu arriver. Il était entré cette fois par le jardin, et maintenant qu'elle le voyait de plus près, des détails que la distance ne lui avait pas permis de noter depuis sa fenêtre la frappèrent — les membres musclés et bronzés que laissaient à découvert un short kaki et un T-shirt portant le logo à demi effacé d'un bar de Cleveland, par exemple, et aussi un visage d'autant plus agréable à regarder qu'il était rasé de frais.

Sara sentit son pouls s'emballer. Comme elle détestait recevoir des ordres, le ton autoritaire de Nick aurait dû la mettre en colère, mais c'était un sentiment d'une tout autre nature qui accélérait les battements de son cœur… Elle inspira profondément, s'éclaircit la voix, puis demanda :

— Pourquoi me déconseillez-vous d'aller à la cave ?

— Vous n'y trouverez que des toiles d'araignées, de vieux tonneaux et des bouteilles de vin poussiéreuses.

— Je n'aime pas trop les araignées, mais j'ai malgré tout envie de visiter cette cave.

— Vous n'y verrez rien : l'ampoule a grillé il y a des années.

— Et vous ne l'avez pas remplacée ?

— Je le ferai demain, si vous le désirez.

— Je peux prendre la torche électrique, en attendant.

— Comme vous voudrez, mais si c'est le vin qui vous intéresse, j'en ai récemment remonté quelques bouteilles. Je vous en ouvre une ?

— Plus tard : je ne bois jamais d'alcool le matin. Vous savez d'où vient ce vin ?

— Oui. D'ici.

— Vous plaisantez !

— Pas du tout. Thorne Island possède un vignoble de trois hectares... Vous l'ignoriez ?

La lueur d'amusement qui brillait dans les yeux de Nick rendit Sara méfiante. Etait-il en train de la taquiner, ou bien son penchant évident pour l'ironie se manifestait-il même quand il parlait sérieusement ?

— Et où se trouve ce vignoble ? demanda-t-elle, une pointe de défi dans la voix.

— A une centaine de mètres de l'arrière de la maison.

Excitée malgré elle, la jeune femme courut vers la porte et fouilla du regard le fond du jardin, mais sans rien voir qu'une masse indistincte de hautes herbes, de pissenlits et de figuiers de Barbarie.

— Vous vous moquez de moi ! s'écria-t-elle. Il n'y a pas plus de vignes ici que de beurre au garde-manger !

— Vous ne me croyez pas ? Alors venez avec moi !

Une fois de plus, Nick s'était approché sans qu'elle s'en aperçoive. Cet homme avait beau avoir un problème à la jambe, il se déplaçait aussi vite et aussi silencieusement qu'un chat... Elle s'engagea derrière lui dans un chemin dallé qui longeait le jardin. Envahi par la végétation, il était difficilement praticable, et Sara garda tout du long les yeux fixés sur le sol pour en éviter les pièges.

Arrivée au bout, cependant, elle leva la tête et poussa un cri de stupeur en découvrant un coteau où, contrairement au reste de l'île, la nature n'avait pas complètement repris ses droits. Des rangées de piquets plantés à intervalles réguliers s'étendaient à perte de vue, reliés par des fils de fer et soutenant des ceps d'épaisseurs variées… Ainsi, Nick avait dit la vérité !

Lors d'un voyage en Californie, l'année précédente, Sara avait visité la Napa Valley. Les explications des spécialistes de cette grande région viticole l'avaient passionnée et lui en avaient appris assez pour reconnaître aujourd'hui les vestiges d'une exploitation florissante.

Transportée à l'idée de posséder des vignes, la jeune femme alla les examiner de plus près. Elle gratta de l'ongle l'écorce de plusieurs ceps, et du bois vert apparut… Ils n'étaient donc pas morts.

— De quand date la dernière vendange ? demanda-t-elle à Nick.

— Je l'ignore. Tout ce que je sais, c'est qu'il n'y en a pas eu pendant les six années où j'ai vécu ici, et je doute que vous ayez un seul grain de raisin à récolter à l'automne prochain… Vous avez l'air tout excitée, mais je plaisantais, tout à l'heure, en parlant du « vignoble » de Thorne Island : il n'existe plus qu'à l'état de lointain souvenir.

— Détrompez-vous ! s'écria Sara en s'approchant de Nick, une grappe desséchée à la main. Vous voyez ceci ? C'est la preuve que ces plants ont produit et peuvent encore produire un excellent chardonnay !

*
* *

Nick était très déçu : son plan n'avait pas marché. Il avait cru que le spectacle de ce coteau aride enlèverait à Sara tout espoir de trouver sur l'île des ressources autres que les loyers de ses quatre habitants. L'âge d'or de Thorne Island était depuis longtemps révolu, elle devait s'en rendre compte et partir, mais loin de la décourager, cette petite promenade matinale avait visiblement stimulé son intérêt...

Furieux contre lui-même, Nick emporta un sandwich et une bière chez Brody, où ses trois compagnons et lui avaient décidé de déjeuner ensemble. L'idée de leur avouer son erreur de jugement ne l'enthousiasmait guère, car ils comptaient sur lui pour se débarrasser de leur nouvelle et encombrante propriétaire.

Après leur avoir raconté son échec, il tenta d'en rejeter la responsabilité sur Ryan :

— Quel besoin avais-tu, aussi, d'aller tailler les ceps, remplacer les piquets tombés et désherber les rangs ? lui déclara-t-il.

— Je l'ai fait pour m'occuper, protesta Ryan, et parce que je n'aime voir mourir aucune plante. Je n'y connais rien en viticulture, mais est-ce ma faute si j'ai la main verte ?

— Je t'avais dit de ne pas perdre ton temps à ça ! s'exclama Brody. Nous sommes des pêcheurs et des chercheurs de trésors, pas des paysans !

— Laisse-le tranquille ! intervint Dexter. Il adore la nature, et nous aurions tort de nous en plaindre : les corbeilles de fleurs qu'il a installées au Cozy Cove sont très jolies, par exemple.

— Si nous essayions de réfléchir, au lieu de nous disputer ? suggéra Nick.

— Oui, nous devons nous unir contre l'ennemi, souligna Brody, et l'ennemi, c'est cette Sara Crawford !

— Le mot est un peu fort, observa Nick. Si vous l'aviez vue ce matin, penchée sur ces vignes comme une mère sur le berceau de son enfant ! C'était... attendrissant.

Il esquissa un sourire... qui se figea aussitôt : ses trois compagnons le fixaient comme s'il était devenu fou. Il toussota pour se donner une contenance et enchaîna :

— Il n'en reste pas moins que nous avons un problème.

— Et un gros ! renchérit Brody. Cette Sara est une enquiquineuse, comme toutes les femmes, et si nous ne réagissons pas vite, elle exigera bientôt de nous beaucoup plus que le simple paiement de notre loyer.

Un murmure d'approbation s'éleva autour de la table, mais avant qu'aucun des conspirateurs n'ait eu le temps de reprendre la parole, la porte s'ouvrit et l'objet de leur ressentiment entra dans la pièce.

— Bon appétit, messieurs ! s'écria Sara. Suis-je bien à l'intendance dont on m'a tant vanté le choix de marchandises ?

Un lourd silence suivit, que Nick finit par rompre en faisant les présentations.

— Je suis là pour vous acheter des provisions, monsieur Brody, expliqua ensuite la jeune femme, et aussi pour vous demander la permission d'utiliser votre portable.

— Pourquoi en avez-vous besoin ? grommela l'interpellé.

— Pour téléphoner à M. Winkleman. Il revient ici demain, et je veux qu'il m'apporte de l'engrais, entre autres choses.

— J'ai créé un tas de compost près de l'ancien pressoir, indiqua Ryan.

— Un tas de compost ? répéta Sara en posant sur lui des yeux aussi brillants que s'il avait parlé d'une rivière de diamants.

Les trois autres hommes, eux, le fusillèrent du regard. Il rougit, s'agita nerveusement sur le tonneau renversé qui lui servait de siège, puis sauta sur ses pieds et disparut par la porte de derrière.

« Décidément ce n'est pas mon jour ! » pensa Nick, mi-agacé, mi-compatissant.

4.

Après avoir appelé Winkleman, Sara passa sa commande à Brody. Il mit les articles qu'il avait en stock dans un sac et le lui tendit à bout de bras, comme si le moindre contact physique avec elle risquait de lui transmettre une maladie mortelle. Elle marmonna un merci de pure forme et sortit de la maison sans refermer la porte.

— Je n'ai jamais vu un type aussi grossier, aussi borné, aussi phallocrate..., maugréa-t-elle.

Les épithètes ne manquaient pas pour qualifier l'ex-marine, mais elle s'arrêta là : la liste était trop longue, car Brody, tout en la servant, n'avait cessé de pester contre les femmes en général, et « une certaine intruse » en particulier.

Nick Bass avait bien sûr observé la scène avec son éternel sourire narquois. Dexter Sweet, lui, avait au moins eu le bon goût de se faire discret : il avait allumé la télévision et feint de s'y intéresser. Quant au malheureux Ryan, il s'était esquivé juste après avoir révélé l'existence du tas de compost. La réprobation de ses compagnons l'avait visiblement effrayé, et il avait cherché son salut dans la fuite.

Une centaine de mètres seulement séparait « l'intendance » du Cozy Cove. A peine engagée sur le sentier bordé d'érables en bourgeons qui reliait les deux maisons, Sara entendit des pas, dans son dos. Ce devait être Nick. Elle accéléra l'allure pour bien lui montrer qu'elle ne voulait pas de sa compagnie, et, une fois arrivée à destination, elle lui ferma la porte au nez.

Le regard furibond qu'il lui lança en entrant dans la cuisine la remplit d'aise. Il s'était amusé à ses dépens ? Eh bien, chacun son tour !

— Tiens, vous êtes là, monsieur Bass ! s'écria-t-elle d'un air faussement surpris. Je ne savais pas que vous étiez derrière moi.

— Vous le saviez parfaitement ! Vous avez même fait exprès de marcher vite, pour m'empêcher de vous rattraper.

— Si c'est dans l'intention de m'espionner que vous m'avez suivie jusqu'ici, rassurez-vous : je ne compte pas envahir votre espace. Il y a assez de place dans cette cuisine pour y cohabiter sans se gêner, et cela vaut pour l'ensemble de l'île : avec cinq personnes pour vingt hectares, elle doit constituer l'un des endroits habitables les moins peuplés des Etats-Unis.

Nick s'assit sur une chaise et passa la main dans ses cheveux. Pour la première fois, Sara y remarqua quelques mèches grises. Elles donnaient un air de dignité à cet homme dont la conduite traduisait pourtant un manque total de maturité.

Comme pour infirmer ce jugement, il dit alors d'une voix grave :

— Je vous concède que Brody s'est comporté en parfait goujat, tout à l'heure, mais vous êtes allée le voir à un mauvais moment. Il est difficile à vivre même dans ses bons jours, et celui-ci avait déjà mal commencé pour lui. Dans ces cas-là, mieux vaut éviter de le contrarier, ce que vous avez fait en mettant sur votre liste de courses des articles qu'il n'avait pas en stock.

— Que lui ai-je donc demandé d'extraordinaire ? Beaucoup de gens préfèrent, comme moi, le muesli aux corn-flakes, et je n'ai rien contre les plats surgelés, mais pourquoi Brody les achète-t-il en barquettes familiales ? Il ne sert que des personnes seules, non ?

— Vous avez raison, mais sa clientèle se composait exclusivement d'hommes, jusque-là, et les hommes ont un plus gros appétit que les femmes. Peu leur importe également de manger la même chose deux soirs de suite. C'est ce genre de détail, parmi d'autres, qui met en évidence la différence entre notre style de vie et le vôtre. Votre présence a déjà changé beaucoup de choses ici, et nous avons tous un peu de mal à l'accepter — sauf peut-être Ryan, qui semble mieux disposé à votre égard.

— Oui. Lui, au moins, il m'a fourni spontanément une information utile... Mais Brody ne tardera sûrement pas à le monter contre moi.

Tout en parlant, Sara avait entrepris de sortir les provisions de leur sac et, en lisant les étiquettes, elle nota une chose étrange.

— D'où viennent ces produits ? questionna-t-elle.

— De l'unique supérette de Put-in-Bay... Pourquoi ? Vous les trouvez trop chers ?

— Au contraire ! Le prix marqué dessus est celui que j'ai payé à Brody.

— Et alors ?

— Alors leur vente ne lui rapporte rien.

— Non, mais ça lui est égal.

La réalisation de bénéfices étant à la base de toute opération commerciale, l'expert-comptable qu'était Sara n'en crut pas ses oreilles.

— L'argent n'intéresse pas Brody ? s'écria-t-elle.

— Si, mais il en a déjà plus qu'il n'est possible d'en dépenser dans toute une vie. Il n'en demande ni n'en donne jamais à personne, et c'est sans doute le truc qui permet aux gens riches de le rester.

La jeune femme sourit, amusée par le contraste entre l'image traditionnelle d'un homme fortuné et ce vieux grincheux de Brody, avec son chapeau de paille, son short attaché avec une ficelle et ses espadrilles trouées. Il habitait une maison de trois pièces louée cent dollars par mois et disposait pour seule distraction d'une petite télévision en noir et blanc, alors qu'il avait les moyens de s'acheter une grande demeure et de s'offrir les divertissements les plus coûteux... C'était à la fois comique et incompréhensible.

— Il a fait un gros héritage ? s'enquit Sara.

— Non. Il a déposé des brevets d'invention et dirigé pendant des années la société qui les exploite.

— Qu'a-t-il inventé ?

— C'est à lui de vous le dire — s'il en a envie, ce qui n'est pas garanti.

— J'attendrai qu'il soit de meilleure humeur pour lui poser la question, mais entre-temps, j'aurai quelques conseils à lui donner en matière de négoce. La supérette de Put-in-Bay est sûrement plus chère que les grandes surfaces de Sandusky, pour commencer... Il pourrait même avoir des prix réduits avec des achats en gros, et...

— Sara...

— Quoi ?

— Ne vous mêlez pas de ça.

— Mais je veux seulement aider Brody à tirer parti d'un secteur très concurrentiel, qui...

Sara ne termina pas sa phrase : Nick s'était levé et venait de lui poser les mains sur les épaules. Elle en sentait la chaleur à travers le tissu de son T-shirt, qui lui parut soudain bien mince... Les yeux dans les siens, Nick garda un moment le silence, puis il déclara :

— Que faites-vous dans la vie ?

— Je suis expert-comptable.

— J'aurais dû m'en douter !

Une sensation de froid envahit Sara avant même que Nick ne la lâche et ne recule d'un pas : sa remarque avait suffi à la glacer.

Une violente colère la saisit ensuite, et elle s'exclama :

— Vous avez quelque chose contre les experts-comptables ?

— Non, rien. Je m'étonne seulement de ne pas avoir deviné tout seul que vous aviez une profession en rapport avec l'argent.

— Comment auriez-vous pu le savoir ?

— A vos commentaires, hier, sur la modicité de mon loyer, et à votre utilisation, aujourd'hui, de termes comme « achats en gros » et « secteur concurrentiel ».

— Et alors ? Il n'y a pas de sot métier !

— J'en conviens, répondit Nick, et vous êtes sûrement très compétente dans le vôtre, mais laissez Brody exercer le sien comme il l'entend... Maintenant, excusez-moi, mais j'ai du travail.

Il se dirigea vers la porte sous le regard de la jeune femme dont la fureur avait fait place à une profonde perplexité. Elle trouvait très généreux de sa part de vouloir rendre service à un homme qui l'avait traitée en ennemie sans même la connaître. Un vague sentiment de culpabilité la taraudait pourtant, comme si les objections de Nick l'avaient ébranlée alors même qu'elle ne les comprenait pas.

Etait-ce dû au magnétisme qui se dégageait de lui et la privait de son bon sens habituel ? Sans doute, car au lieu de se féliciter du départ de cet irritant personnage, elle en éprouva du regret et se surprit à déclarer :

— Nick ?

— Oui ? dit-il en se retournant.

— Vous m'avez proposé ce matin de goûter le vin de Thorne Island... Si vous en apportez une bouteille pour le dîner, je partagerai avec vous ma barquette familiale de lasagne surgelées, d'accord ?

— Je ne sais pas. J'ai beaucoup à faire.

Sur ces mots, Nick franchit la porte, laissant Sara humiliée et bien décidée à ne plus céder à sa stupide attirance pour lui. Elle rangea ses provisions, ressortit les produits d'entretien de leur placard et reprit son nettoyage de la cuisine avec une énergie décuplée par la colère.

Banning s'accroupit et dégaina son revolver. L'odeur de crasse et de bière éventée qui régnait dans ce couloir sombre ne suffisait pas à masquer celle de sa propre peur.

— Allez, allez ! grommela Nick, les yeux fixés sur l'écran de son ordinateur.

C'était la vingtième fois au moins en une demi-heure — depuis qu'il avait quitté Sara, très exactement — qu'il relisait les premières phrases du chapitre 5 de *La Mort n'attend pas*. Elles lui étaient venues la veille, juste après qu'il se fut couché. Il avait rallumé la lampe à pétrole, écrit ces lignes dans le carnet posé en permanence sur sa table de chevet, puis attendu — en vain — l'inspiration qui lui permettrait de continuer.

Il avait fini par éteindre, mais le sommeil s'était alors obstiné à le fuir, et il savait pourquoi : pendant les six années qu'il avait passées au Cozy Cove, jamais encore une jolie blonde au teint de pêche et au corps de rêve n'avait dormi à quelques mètres de lui.

Les personnages de ses romans, et spécialement son inspecteur Ivan Banning, menaient une vie très agitée. Le mot « normalité » était pour eux synonyme d'ennui, et Nick leur inventait des aventures qui satisfaisaient pleinement leur goût du risque. Il n'avait cependant pas envie que sa vie à lui prenne le même chemin, et la présence de Sara Crawford à Thorne Island menaçait de détruire l'équilibre qu'il y avait trouvé. Elle bousculait les habitudes de tous ses occupants, et à cela s'ajoutait, dans le cas de Nick au moins, le réveil d'émotions depuis longtemps mises en sommeil.

Pire encore, elle occupait ses pensées au point de tarir son imagination : il n'avait pas la moindre idée de la façon dont Banning allait pouvoir s'introduire dans l'appartement 7, au bout de ce couloir sombre et malodorant.

Si ce genre de blocage lui était déjà arrivé, c'était pour une tout autre raison. A cause des images qui l'assaillaient parfois et où il se revoyait, en ce jour d'hiver, étendu sur un trottoir regardant son sang rougir la neige fondue tout autour de lui.

Le souvenir d'un moment où il avait cru sa dernière heure venue était assez angoissant pour expliquer une panne d'écriture, mais Sara Crawford ? Leur rencontre n'avait rien de comparable, alors pourquoi produisait-elle sur lui les mêmes effets ?

Nick le savait, en réalité : parce qu'il avait eu l'imprudence de la toucher. Quand il avait posé les mains sur ses épaules et plongé le regard dans ses yeux bleus, il avait perdu toute lucidité. L'envie l'avait pris de la serrer contre lui et de l'embrasser. De propriétaire envahissante, elle était devenue l'objet d'un impérieux désir, et il ne pouvait en résulter que des ennuis.

La dernière personne dont Nick avait besoin dans sa vie était en effet une expert-comptable. Il n'avait pas rempli de déclaration de revenus depuis six ans, et le fisc manquait généralement d'indulgence envers les gens qui disparaissaient un jour sans laisser d'adresse. Si Sara s'avisait de fourrer le nez dans ses affaires, il risquait d'avoir de sérieux problèmes. Mieux valait donc garder ses distances avec elle — d'où sa réaction quand elle l'avait invité à dîner.

L'idée de manger des lasagne surgelées n'avait de toute façon rien de tentant pour un homme répondant au nom de Nicolas Romano et dont les ancêtres étaient originaires de Naples.

La proposition de Sara n'en partait pas moins d'un bon sentiment, et il avait dû la blesser en lui parlant aussi sèchement... Oui, il redescendrait plus tard dans la cuisine et se forcerait à avaler une ou deux bouchées de lasagnes. Ce petit effort était le prix à payer pour se faire pardonner sa grossièreté.

Fier de cette décision pleine d'abnégation, Nick reporta son attention sur l'écran et relut le début du chapitre 5 tout en repoussant de la main une mèche tombée sur son front. Il avait besoin d'une coupe de cheveux. La dernière visite de Gina à Thorne Island datait de plus d'un mois, et il était grand temps qu'elle revienne. En plus d'être la meilleure coiffeuse de Put-in-Bay, c'était une femme qui, contrairement à d'autres, alliait la gentillesse à la discrétion.

Quand il aurait vu Gina et réglé le problème de l'expert-comptable, tout rentrerait dans l'ordre, songea Nick, rasséréné.

La poignée s'abaissa lentement sous l'action d'une main invisible, et la porte de l'appartement 7 s'ouvrit...

Voilà ! Nick Bass et Ivan Banning étaient de nouveau opérationnels !

Vers 19 heures, une délicieuse odeur d'ail et de sauce tomate vint chatouiller les narines de Nick. Ces lasagnes surgelées sentaient étrangement bon... A moins que Sara Crawford ne s'y connaisse assez bien en cuisine italienne pour avoir réussi à donner une saveur authentique à un produit fabriqué industriellement...

Nick éteignit son ordinateur, alla prendre une douche rapide, puis descendit au rez-de-chaussée, tout content de faire à Sara la surprise de dîner avec elle, finalement.

En voyant le couvert mis pour une seule personne, et qui plus est sur la grande table en chêne dont le plateau était incrusté de substances d'origine douteuse, il faillit rebrousser chemin. Puis il se rendit compte que la lumière du plafond se reflétait sur le bois, comme si... Oui, il avait été ciré, et le reste de la pièce brillait aussi de propreté. Sur la cuisinière immaculée était posé un plat de lasagnes gratinées à point, tandis qu'un compotier rempli de poires au sirop attendait sur un plan de travail rangé et lessivé.

Penchée devant le réfrigérateur ouvert, l'auteur de tous ces miracles n'avait visiblement pas entendu Nick arriver, et il en profita pour l'observer. Elle portait une robe longue en tissu imprimé de grosses fleurs, et sa position penchée lui permit de contempler des chevilles fines et des mollets bien galbés qui lui firent oublier sa faim. Il aurait pu rester des heures à les regarder, mais Sara le priva de ce plaisir en se redressant, une bouteille de chardonnay de Thorne Island à la main. Il retint une exclamation de surprise. Ainsi elle avait découvert l'endroit où il stockait les réserves remontées de la cave !

D'abord agacé à l'idée qu'elle avait encore fouillé dans ses affaires, Nick se rappela ensuite que ce vin ne lui avait jamais appartenu. Si quelqu'un avait outrepassé ses droits, c'était donc lui.

— C'est une bonne année..., dit-il.

La jeune femme se retourna d'un bloc, l'air effrayé, mais elle se ressaisit très vite et le foudroya du regard.

— Qu'est-ce que vous faites ici ? s'écria-t-elle.

— Vous m'avez invité à dîner, mais je suis apparemment le seul à m'en souvenir, répondit-il avec un geste en direction de l'unique couvert installé sur la table.

— Je retire mon invitation. Vous pouvez aller reprendre vos occupations.

— Et si je n'en ai pas envie ?

— Peu m'importe. Je n'ai pas envie, moi, que vous restiez.

Cet accueil hostile confondit Nick. Il était descendu dîner avec Sara à sa demande, et elle l'envoyait promener ? Il n'avait cependant pas la moindre intention de partir : les lasagnes sentaient trop bon, et la maîtresse de maison était trop jolie... Arborant son sourire le plus charmeur, il s'approcha d'elle et susurra :

— Laissez-moi deviner... Vous êtes en colère contre moi, c'est ça ?

Mais la jeune femme lui avait tourné le dos pour poser la bouteille sur le plan de travail, si bien qu'elle ne vit pas le sourire destiné à l'enjôler. Et ce fut sans accorder un regard à son interlocuteur qu'elle alla ensuite ouvrir un tiroir et fourragea dedans — sans doute à la recherche d'un tire-bouchon. Elle n'en trouverait pas là, mais Nick n'osa pas le lui dire de peur de la vexer.

— Vous êtes très perspicace, monsieur Bass ! lança-t-elle d'un ton dur. Je suis effectivement en colère contre vous.

— Pourquoi ?

— Parce que vous êtes un mufle, pour commencer ! répondit-elle avant de refermer violemment le tiroir.

— Je plaide coupable... Et ensuite ?

— Parce que vous êtes grossier, mal élevé et indélicat !

— Je plaide encore coupable, déclara Nick, mais ces trois accusations n'étaient-elles pas déjà comprises dans la première ?

Il y eut un moment de silence, puis Sara lui fit face et admit :

— C'est vrai, mais je n'ai pas terminé : vous cultivez aussi une ironie et un mystère qui ne permettent pas d'avoir des rapports simples avec vous.

— Je suis bourré de défauts, je le reconnais. Je possède néanmoins une information susceptible de contribuer au succès de ce repas, et je suis prêt à vous la communiquer en échange d'une part de lasagnes.

— Quelle information ?

— Je connais l'endroit où est rangé le tire-bouchon.

La jeune femme fronça les sourcils. Elle était manifestement partagée entre son désir de goûter le vin de Thorne

Island et sa réticence à dîner en compagnie d'un homme dont les manières laissaient beaucoup à désirer.

— D'accord, je vais rajouter un couvert, annonça-t-elle finalement avec un soupir exaspéré.

Ravi, Nick esquissa un pas vers la table, mais Sara le retint par le bras en précisant :

— Vous n'aurez le droit de vous asseoir qu'après avoir ouvert la bouteille !

Le chardonnay, qui datait de 1991, était riche en saveur et délicieusement fruité. Sara découvrit aussi en Nick Bass un convive agréable, qui accepta même de répondre — quoique de façon évasive — à certaines des questions personnelles qu'elle lui posa.

— Vous ne vivez pas complètement retiré sur cette île, j'imagine ? déclara-t-elle. Il vous arrive de la quitter ?

— Oui, mais jamais plus de quelques heures, et seulement quand j'y suis contraint, pour aller chez le dentiste, par exemple.

Les dents blanches et régulières de Nick ne devaient pas nécessiter des soins très fréquents. Sara aurait été curieuse de savoir quelles autres raisons l'obligeaient parfois à sortir de sa retraite. Il changea cependant ensuite de sujet et se mit à parler de sa grand-mère italienne qui confectionnait elle-même ses pâtes, faisait pousser dans son jardin les tomates et les aromates destinés à leur assaisonnement, et n'aurait pas plus songé à contredire son mari qu'à utiliser de la sauce en boîte pour accommoder les spaghettis.

Les origines méditerranéennes de Nick expliquaient peut-être son côté machiste, songea Sara, mais elle garda cette réflexion pour elle et lui raconta à la place des anecdotes sur son enfance et son adolescence à Brewster Falls. Elle évoqua aussi son père, qui avait dû élever seul une fille de quatorze ans et s'inquiétait encore pour elle au point de lui téléphoner deux ou trois fois par semaine. La décision de quitter sa ville natale à la fin de ses études supérieures avait été très difficile à prendre, avoua-t-elle.

— Pourquoi êtes-vous partie, alors ? demanda Nick.

— Une firme d'expertise comptable, l'AFCO, avait chargé un de ses cadres de recruter de jeunes diplômés dans diverses universités, dont celle d'Ohio. J'ai passé un entretien avec lui, à tout hasard, et la semaine suivante, la société me proposait un poste important à Fort Lauderdale.

— J'avais donc raison, tout à l'heure : vous êtes une excellente expert-comptable.

Pensant que Nick s'intéressait vraiment à ses compétences dans le domaine financier, Sara, emportée par son enthousiasme, laissa la conversation prendre une nouvelle direction.

— Oui, dit-elle, et mon expérience en matière économique me permet de voir que Thorne Island possède un gros potentiel.

Son interlocuteur fronça les sourcils, mais maintenant qu'elle avait commencé, autant continuer dans cette voie... Ses locataires devraient de toute façon être informés tôt ou tard de ses projets.

— La structure de tous les bâtiments que j'ai recensés est saine, poursuivit-elle. Quelques réparations, des travaux de modernisation et un nettoyage complet des espaces extérieurs suffiraient à faire de cette île un merveilleux lieu de séjour.

— Elle l'est déjà.

— Pour vous, mais moi, je parlais des vacanciers. Il faudrait leur offrir des prestations bon marché, bien sûr, qui s'adresseraient à une clientèle de type familial à la recherche d'un endroit calme pour passer une semaine, ou juste un week-end. Les bénéfices réalisés permettraient, dans un deuxième temps, d'aménager une plage, un port digne de ce nom, et peut-être même un golf miniature.

Les mâchoires de Nick se crispèrent. Il se redressa sur sa chaise, puis se pencha en avant, une lueur de menace dans les yeux.

— Vous n'envisagez pas sérieusement de transformer Thorne Island en complexe touristique, j'espère ? s'écria-t-il.

— Mais si ! Je n'ai pas l'intention de laisser en friche, au sens propre comme au sens figuré, les terres que ma tante m'a léguées : je veux leur redonner vie.

— Vous ne pouvez pas faire ça !

— Et pourquoi donc ?

— Vous avez pensé aux gens qui habitent ici et au bail de vingt-cinq ans que Millie leur a accordé ?

— Je ne compte pas vous chasser. Vous êtes libres de rester aussi longtemps que vous le désirez. Je souhaite juste rendre à cette île sa beauté d'origine, et comme c'est une entreprise trop coûteuse pour mes faibles revenus, je dois recourir à d'autres moyens.

— Vous mentez ! Seul l'argent que cela vous rapportera vous intéresse.

— Nous y revoilà ! Pour vous, le fait de gagner de l'argent est un crime… Eh bien, je ne suis pas de cet avis, et je vais vous dire ce qui me choque, moi : c'est la décision prise par quatre hommes dans la force de l'âge de vivre en ermites sur une île perdue. J'ignore les raisons qui vous ont poussés à venir vous y cacher, mais elles ne doivent pas être très avouables.

Pour signifier à Nick que la discussion était terminée, Sara se leva et commença à s'éloigner, mais il bondit de sa chaise et lui barra le chemin.

— Comment osez-vous nous juger ? s'exclama-t-il. Vous ne savez rien de nous !

— Alors expliquez-moi pourquoi vous avez fui le monde, tous les quatre !

— Non, cela ne vous regarde pas. Je vais cependant vous donner un conseil, que vous seriez bien avisée de suivre : abandonnez vos plans d'exploitation touristique de Thorne Island. D'autres ont essayé et s'y sont cassé les dents.

— C'est de la Golden Isles Development Corporation que vous parlez ?

Nick tressaillit violemment.

— Que savez-vous de cette affaire ?

— Assez pour vous assurer que mon projet n'a rien à voir avec celui de ce promoteur. Il n'est pas question que je vende un seul mètre carré de mon île, par exemple.

— Mais vous êtes tout de même prête à la transformer en un nouveau Disneyland !

— Vous dramatisez ! Ce n'est pas un malheureux golf miniature qui...

— Ne touchez pas à Thorne Island, Sara ! Si vous avez envie de réaliser des opérations immobilières, allez le faire en Floride et laissez-nous tranquilles ! Notre vie nous plaît telle qu'elle est.

— Vous trouvez plaisant de ne manger que des conserves et des surgelés, de mener une existence improductive et routinière, à regarder les mauvaises herbes pousser autour de vous ?

— Et de n'avoir de comptes à rendre à personne ? Oui !

Les mains de Nick se posèrent sur les épaules de la jeune femme, comme dans l'après-midi, mais il enfonça ensuite les doigts dans sa chair dans un geste qui n'avait rien d'amical. Elle plongea les yeux dans les siens, pour bien lui montrer qu'elle n'avait pas peur de lui, avant d'observer d'un ton railleur :

— Vous êtes peut-être plus fort que moi, monsieur Bass, mais je suis plus agile et, avec votre patte folle, je vous défie de me rattraper à la course ! Si vous me disiez, à présent, ce qui vous met tellement en colère ?

— Vous ! s'écria-t-il. Vous, avec votre obsession de l'argent, votre étroitesse d'esprit, votre... votre... Vous, tout simplement !

Puis, avant que Sara ait eu le temps de comprendre ce qui se passait, il l'attira contre lui et s'empara de ses lèvres avec une sorte de rage, comme s'il cédait là à une impulsion inopportune mais irrépressible. Son baiser n'en était pas moins voluptueux, et elle se surprit à y répondre. Le chardonnay avait dû lui brouiller les idées, songea-t-elle vaguement, car cette attaque brutale aurait normalement dû l'indigner.

Quand Nick rompit leur étreinte, il lui fallut quelques secondes pour recouvrer ses esprits, et ce fut d'une voix mal assurée qu'elle demanda :

— Pourquoi m'avez-vous embrassée ?

— Inutile de me poser cette question, déclara-t-il sèchement, parce que je suis incapable d'y apporter une réponse satisfaisante pour vous comme pour moi. Mettons que ce soit une façon de vous remercier pour le dîner.

Il sortit ensuite de la cuisine sans se retourner, et Sara, toute sa lucidité maintenant revenue, se dit qu'un simple merci aurait été plus conforme aux usages, mais ne lui aurait pas fait aussi forte impression.

5.

— Allez, Nick, dépêche-toi ! L'heure tourne !

La voix venait de l'extérieur de la maison, sous la fenêtre de Sara qui se réveilla en sursaut. Elle s'assit dans son lit et tendit l'oreille.

— Mais qu'est-ce que tu fabriques ? Si tu n'es pas là dans les trente secondes, je pars sans toi !

Pas de doute, c'était Brody... Ce ton hargneux n'appartenait qu'à lui, mais que faisait-il au Cozy Cove à une heure aussi matinale ? Essayait-il de prouver sa capacité à empoisonner le monde dès le lever du soleil ?

Sara entendit ensuite Nick répondre, depuis sa fenêtre à lui :

— Calme-toi ! Tu viens me chercher chaque fois un peu plus tôt... Laisse-moi au moins le temps de m'habiller !

Intriguée, elle se leva et alla regarder par l'interstice des volets. Une voiturette de golf était garée dans la cour, avec Brody au volant.

— Tu sais que le jour des fouilles est très important pour moi ! déclara-t-il. Dexter et Ryan sont déjà sur place, et ils vont s'impatienter !

Le jour des fouilles ? De plus en plus perplexe, Sara entrebâilla doucement les volets et aperçut à l'arrière du véhicule, dans l'espace normalement réservé aux sacs de golf, tout un assortiment de pelles, de bêches et de pioches. Au-dessus de ces outils entassés pêle-mêle flottait un petit drapeau de plastique jaune semblable à celui que les enfants fixaient au porte-bagages de leur bicyclette.

Y avait-il tellement de circulation sur l'île que Brody avait peur de se faire renverser ? se demanda la jeune femme en ricanant intérieurement

Songeant que ce drapeau allait cependant se révéler utile, en lui permettant de suivre la voiturette d'assez loin pour ne pas être vue, la jeune femme sauta à bas du lit. Cette histoire de fouilles piquait sa curiosité : les hommes de Thorne Island cherchaient quelque chose, mais quoi ? Elle était bien décidée à le découvrir.

— Prenez votre temps, monsieur Bass ! murmura-t-elle.

Un dernier regard dehors lui montra malheureusement Nick en train de descendre les marches de la véranda... Comment avait-il pu s'habiller aussi vite ? se demanda-t-elle, interloquée.

Sa hâte de rejoindre Brody ne lui avait cependant pas fait oublier la présence d'une autre personne dans la maison, car ce fut à reculons et les yeux fixés sur la fenêtre de Sara qu'il s'approcha du véhicule. Se rappelait-il le baiser qu'ils avaient échangé la veille au soir ? Elle s'en souvenait, en tout cas, et même dans la lumière incertaine de l'aube, la vue de cette silhouette athlétique lui causait un trouble indéfinissable.

— Tu devrais crier plus fort, Brody ! déclara Nick. Comme ça, tu serais sûr de réveiller toute l'île !

— Elle ne m'a pas entendu. Les femmes sont trop paresseuses pour se lever de si bon matin.

Sara se précipita vers la penderie en marmonnant :

— Pour dire de pareilles âneries, monsieur Brody, votre expérience des femmes doit être extrêmement limitée !

Trois minutes plus tard, vêtue d'un pantalon de toile et d'un T-shirt, elle était dans la cour. La voiturette avait disparu, mais des traces de pneus indiquaient la direction qu'elle avait prise. Sara les suivit et finit par apercevoir le drapeau jaune, à une centaine de mètres devant elle.

Obligée de ralentir le pas pour ne pas se faire remarquer, elle put observer le paysage qui l'entourait. Sa filature l'avait amenée dans une partie de l'île qu'elle ne connaissait pas encore. C'était la plus éloignée du Cozy Cove, et elle découvrit au fur et à mesure de sa progression un bois de chênes et d'érables couverts de jeunes pousses, une vaste étendue de fougères et d'arbustes en fleurs, puis une plage bordée de bouleaux. De petites vagues léchaient le rivage en un mouvement doux et régulier que Sara trouva apaisant. Elle se promit de revenir là et d'y passer un après-midi, allongée sur une couverture avec un bon livre, mais ce serait pour un autre jour.

L'arrêt de la voiturette au bord de l'eau l'obligea à s'immobiliser, elle aussi, et à se cacher derrière un arbre. De là, elle vit deux silhouettes surgir d'un bouquet de sycomores ; c'était l'immense Dexter et le tout petit Ryan.

Nick et Brody descendirent du véhicule. Les quatre compagnons prirent alors chacun un outil et se mirent à creuser.

Du sable et des cailloux volaient à chaque coup de pelle, et quand l'eau s'infiltrait dans le trou, les hommes sautaient en arrière en poussant un juron. L'un d'eux interrompait de temps en temps son travail pour déboucher une Thermos et boire un café, rappelant douloureusement à Sara qu'elle n'avait pas encore eu le sien. Au bout d'une demi-heure, elle attendait toujours qu'il se passe quelque chose d'intéressant, et l'impatience commença à la gagner.

Son attention fut réveillée un quart d'heure plus tard, lorsque les hommes cessèrent de creuser et se penchèrent sur le trou, d'une taille maintenant impressionnante. Une bonne minute s'écoula, puis Brody souleva son chapeau, s'essuya le front et prononça la première phrase complète que Sara entendait depuis le début de sa faction :

— Non, ce n'est pas là.

Cette déclaration marqua la fin des fouilles. Les quatre hommes se dirigèrent vers le bouquet de sycomores et en revinrent chargés de matériel de pêche.

— C'est ridicule ! grommela Sara en grattant d'une main distraite les piqûres que lui avait infligées sur les bras une nuée de moustiques particulièrement agressifs. Je ne vais pas rester là, à les regarder pêcher !

Elle reprit le chemin du Cozy Cove plus perplexe que jamais. Que pouvaient bien chercher Brody et ses compagnons ? Un corps ? Les îles du lac Erié avaient une histoire longue et mouvementée, alors peut-être les habitants actuels de celle-ci avaient-ils eu connaissance d'un crime odieux commis autrefois, et décidé d'en fournir la preuve en retrouvant le cadavre ?

Le temps d'arriver à l'hôtel, la jeune femme avait étudié cette hypothèse sous tous les angles. Elle ne pouvait imaginer ni Dexter, le doux géant, ni Ryan, l'écologiste, s'amuser à déterrer des morts, mais Nick ? Avec cet individu asocial et victime d'un mystérieux coup de feu, tout était possible... Quant à Brody, il était très facile de se le représenter en train de brandir triomphalement un crâne ricanant.

La jeune femme frissonna et tenta de chasser cette pensée macabre de son esprit, mais quand elle parvint à la hauteur du salon, les housses blanches qui recouvraient les meubles lui évoquèrent des linceuls...

— Ça suffit ! s'écria-t-elle.

Puis elle entra dans la pièce, tira les rideaux et ouvrit les fenêtres. Les housses partirent ensuite l'une après l'autre et, sous l'une d'elles, Sara découvrit un très beau fauteuil victorien. Son tissu de brocart était usé, mais beaucoup d'huile de coude et un peu de cire redonneraient à son bois d'acajou sa splendeur passée.

Le programme de Sara pour la matinée était tout trouvé : elle allait d'abord boire une ou deux tasses du café que Nick, avec un peu de chance, avait laissé au chaud dans la cuisine, puis nettoyer le salon du Cozy Cove du sol au plafond.

Nick et Dexter retournèrent à l'hôtel vers 10 heures. Brody avait proposé de les y conduire en deux voyages, mais Nick avait refusé. D'une part, la marche lui ferait du bien, et d'autre part, il préférait la compagnie de Dexter à celle de Brody. Ce dernier l'avait mis de mauvaise humeur en le réveillant à l'aube ; même s'il tenait beaucoup à ces fouilles, son emploi du temps n'était tout de même pas chargé au point de l'obliger — et tout le monde avec lui — à les commencer au lever du soleil ! Mais inutile d'espérer raisonner un homme aussi têtu et irascible...

Son fils Matthew en savait quelque chose : ils s'étaient disputés pour une question d'argent, des années plus tôt, et Brody refusait depuis de lui parler. Nick téléphonait de temps en temps à Matthew pour lui donner des nouvelles de son père et entretenir ainsi un semblant de lien entre eux dans l'attente d'une future réconciliation — qui avait toutefois peu de chances de se produire dans un avenir proche. Brody aurait même eu une attaque s'il avait appris que Nick était en contact avec Matthew. Personne d'autre que Carlton Brody, ex-marine et P.-D.G. de la société Good Company Hygiene Products ne devait être capable de nourrir des rancunes aussi tenaces.

Nick faillit éclater de rire à la pensée qu'un homme aussi négligé avait fait fortune en commercialisant des déodorants et des gels douche. Et cette brouille entre le père et le fils était vraiment trop bête ! Un de ces jours, il allait dire à Matthew de venir à Thorne Island. Peut-être un miracle s'accomplirait-il alors ?

Dexter s'arrêta devant les marches de la véranda, et Nick lui demanda :

— Tu ne veux pas entrer boire un café ?

— Non, merci. Je suis en train d'élaborer des tactiques de jeu, et il faut que je les couche sur le papier. Je reviendrai plus tard pour superviser tes exercices.

— Ce n'est pas la peine de te déranger.

— Mais tu me promets de les faire ?

— Oui !

L'ancien footballeur pivota sur ses talons et se dirigea vers le bungalow qu'il occupait, à mi-chemin du Cozy Cove et de la maison de Brody. Bien que de dimensions très modestes, ce logement lui convenait parfaitement — du moins l'affirmait-il. Il y tenait à peine debout, mais l'essentiel pour lui était sans doute d'avoir pu y caser sa télévision grand écran. Si tous les habitants de l'île avaient contribué à l'achat d'une parabole, c'était Dexter qui avait choisi, parmi les abonnements possibles, celui qui offrait le plus grand nombre de chaînes sportives.

Les hommes de Thorne Island formaient une drôle d'équipe, songea Nick en franchissant le seuil de l'hôtel, mais aussi une sorte de famille, dont les membres s'acceptaient mutuellement, avec leurs qualités et leurs défauts. C'était cette tolérance qu'il appréciait le plus dans leurs relations, même s'il tentait parfois de faire revenir ses compagnons sur leurs erreurs.

Une fois dans le vestibule, Nick fut assailli par une forte odeur d'encaustique. Elle n'était pas désagréable, mais si nouvelle au Cozy Cove qu'il en identifia immédiatement la cause : Sara Crawford était encore en train de jouer les fées du logis.

Il pénétra dans le salon, et une symphonie de couleurs l'y accueillit : les housses des meubles avaient été enlevées, révélant des tissus à fleurs, des tapisseries au petit point et de l'acajou qui brillait dans la lumière entrant à flots par les vitres lavées.

Et Sara Crawford, en short et les cheveux recouverts d'un bandana, était accroupie devant la cheminée, qu'elle débarrassait de ses vieilles cendres avec une pelle et une balayette.

— Bonjour, monsieur Bass, susurra-t-elle sans se retourner.

— Qu'est-ce que vous fabriquez ? demanda-t-il en allant la rejoindre.

Le visage qu'elle leva vers lui était maculé d'un intéressant mélange de suie, de poussière et de transpiration. Des mèches blondes retombaient sur le dos et les épaules minces que son débardeur laissait dénudés... Elle était adorable, et Nick dut faire un effort pour ne pas lui sourire.

— A votre avis ? déclara-t-elle.

— Oui, vous nettoyez l'âtre, mais ce n'est pas ce que je voulais dire, et vous le savez très bien ! Je parlais de ce... de cette...

— Spectaculaire transformation du salon ?

— Non, de votre obstination à tout changer ici ! Pourquoi en éprouvez-vous le besoin ? Vous partez dans quelques jours !

— Première nouvelle !

— D'accord, mettons que vous restiez une semaine entière, et même un peu plus... Dans tous les cas de figure, il faudra ensuite que je referme les rideaux, que je replace les housses...

— Rien ne vous y oblige.

— Personne n'utilise jamais cette pièce ! s'écria Nick, exaspéré.

— Vraiment ? Le canapé, près de la cheminée, n'avait pourtant pas de housse, et il était relativement propre. J'en ai déduit qu'il servait à quelqu'un...

Sara était observatrice, pensa Nick. Vexé d'avoir été surpris en flagrant délit de mensonge, il grommela :

— C'est vrai, je viens parfois m'y asseoir l'hiver, devant une bonne flambée.

— Eh bien, moi, je ne quitterai pas Thorne Island avant d'avoir passé plusieurs heures dans chacun des sièges de ce salon ! décréta la jeune femme en se redressant. Ainsi, quand je reviendrai, je saurai à l'avance celui dans lequel je suis le mieux.

Soit elle se moquait de lui, soit elle le défiait, et aucune de ces deux possibilités ne plaisait à Nick.

— Je ne connais personne de plus entêté et de plus contrariant que vous, mademoiselle Crawford ! s'exclama-t-il.

Elle marmonna une phrase dont le sens général lui échappa, mais où il lui sembla distinguer le mot « cadavre ».

— Pardon ? déclara-t-il.

— Je disais que moi, au moins, je ne déterrais pas les cadavres.

— Qu'est-ce que... Ah ! Je comprends maintenant pourquoi vos bras sont couverts de piqûres de moustique... Vous nous avez suivis, ce matin, c'est ça ?

— Oui, et alors ? Je serais restée tranquillement dans mon lit si Brody n'était pas venu hurler sous ma fenêtre ! Mais je ne regrette pas les quelques heures de sommeil qu'il m'a fait perdre, car j'ai besoin de savoir de quelle maladie mentale vous souffrez, vous et vos petits camarades.

— Vous n'avez tout de même pas vraiment cru que nous déterrions un cadavre ?

— Cette idée m'a traversé l'esprit, je l'avoue.

— Dans ce cas, et au risque de m'attirer les foudres de Brody, je vais vous dire ce que nous faisons : nous cherchons un trésor enfoui. Et cela, tous les lundis depuis six ans.

Une lueur d'excitation s'alluma dans les yeux de Sara.

— Il y a un trésor sur cette île ? demanda-t-elle.

— Je n'en suis pas certain, mais Brody, lui, en est persuadé, alors nous creusons.

— Pourquoi Brody en est-il persuadé ?

— A cause d'une vieille légende. Les premiers habitants de Thorne Island étaient des trappeurs français qui accompagnaient un missionnaire, le père Bertrand. Ce dernier s'était vu remettre par son roi une petite fortune en pièces d'or et en bijoux, destinée à acheter aux Indiens les terres qui pouvaient intéresser la France. Selon la tradition, il n'y a jamais touché, et toutes ces richesses sont cachées quelque part sur l'île depuis le XVIIIe siècle.

— C'est une histoire extraordinaire, et vous devez y croire un peu, sinon vous ne participeriez pas aux recherches.

— Si.

— Je ne comprends pas.

— Le contraire m'aurait étonné.

— Mais vous tenez un journal des fouilles, j'espère ? Vous avez divisé l'île en portions de terrain que vous explorez l'une après l'autre ?

— Non.

— Alors comment pouvez-vous être sûrs de ne jamais creuser deux fois au même endroit ?

— Nous ne le sommes pas, et d'autant moins que nous rebouchons toujours le trou avant de partir.

Sara se laissa tomber dans le canapé et dit avec une moue incrédule :

— Vous êtes encore plus bizarres que je ne le pensais, tous les quatre ! Soit le trésor existe et il faut le chercher avec méthode, soit il n'existe pas, et ceux d'entre vous qui sont de cet avis perdent leur temps en toute connaissance de cause !

— C'est une façon de voir les choses, mais il y en a une autre.

— Laquelle ?

— Celle d'esprits qui ne raisonnent pas en termes de logique et de productivité. Je crains cependant que cela ne vous dépasse. Vous embrassez très bien, mademoiselle Crawford, mais...

— A votre place, j'éviterais ce sujet ! Vous vous êtes conduit hier soir avec une rare impudence !

— J'ai pourtant bien envie de recommencer.

— Je vous le déconseille !

— Ne me dites pas que vous n'en avez pas envie, vous aussi...

— Bien sûr que non ! répliqua Sara.

Nick la fixa d'un air sarcastique.

— Et arrêtez de me regarder comme ça ! s'écria-t-elle.

— Venez dans ma chambre, déclara-t-il en la prenant par le bras pour l'obliger à se lever.

— Il n'en est pas question !

— Rassurez-vous : je n'ai pas l'intention d'attenter à votre vertu. Couverte de suie comme vous l'êtes, vous saliriez des draps que j'ai changés il y a quelques jours seulement.

— Alors pourquoi voulez-vous m'emmener dans votre chambre ?

Peut-être était-ce un effet de son imagination, mais Nick crut percevoir de la déception dans la voix de son interlocutrice.

— Parce que j'ai là-haut une lotion à la calamine très efficace contre les piqûres de moustique, répondit-il.

6.

Vers midi, Sara descendit au rez-de-chaussée pour se préparer un déjeuner rapide. Winkleman n'allait pas tarder à arriver, et elle ne voulait pas le manquer.

En passant devant le salon, elle ne put résister à l'envie de s'arrêter et d'admirer son œuvre. Tout y brillait de propreté, et les tapis eux-mêmes avaient retrouvé une certaine fraîcheur bien qu'elle ait dû se contenter d'un balai mécanique pour les nettoyer.

La cuisine offrait un spectacle tout aussi plaisant. Les provisions commandées à Winkleman iraient dans le grand réfrigérateur, entièrement lessivé et fleurant bon le citron ; en attendant, elle utilisait celui de Nick.

Quand elle l'ouvrit et tendit la main pour y prendre le salami, les petits points roses dont son bras était couvert lui rappelèrent les soins que Nick lui avait prodigués. Elle avait d'abord refusé de le suivre dans sa chambre, pour finalement céder à ses instances. Il l'avait fait asseoir sur le lit et avait enduit de lotion chaque piqûre de moustique avec une surprenante douceur.

Ce souvenir poussa la jeune femme à lui témoigner sa reconnaissance en préparant deux sandwichs au lieu d'un. Elle mit celui de Nick bien en vue dans le réfrigérateur, puis alla manger le sien à l'extérieur.

Le bruit facilement reconnaissable du bateau de Winkleman lui parvint alors qu'elle avalait la dernière bouchée. Elle se dirigea vers la jetée à grands pas, impatiente de prendre livraison de sa commande et de s'arranger avec Winkleman pour qu'il l'emmène à Put-in-Bay le lendemain : elle avait résolu le matin de rester une semaine de plus à Thorne Island, et il lui fallait acheter, entre autres choses, un téléphone portable pour maintenir des contacts réguliers avec Candy. Elle devait aussi rendre visite à son père et régler le problème de la voiture de location, toujours garée sur le parking de l'embarcadère de Sandusky.

La décision de prolonger son séjour lui était venue tout naturellement, comme l'aboutissement logique d'une prise de conscience aussi brusque qu'inattendue : elle se plaisait beaucoup sur l'île, et ce, malgré l'accueil plus que réservé de ses locataires. Tout s'était passé comme si des aspirations étouffées pendant des années par son métier d'expert-comptable avaient soudain fait surface. Une nouvelle Sara Crawford était en train de se révéler, pour qui la réhabilitation de Thorne Island était moins un investissement qu'un défi passionnant à relever.

Les améliorations que deux jours à peine d'efforts avaient déjà apportées au Cozy Cove la remplissaient de fierté. Et la rénovation de l'hôtel n'était pas sa seule ambition : il y avait aussi les vignes, que l'engrais livré par Winkleman, associé au compost de Ryan, allait ressusciter. Bien soignées et fertilisées, elles pouvaient produire de beaux raisins dès la fin du mois d'août.

Excitée par cette perspective, la jeune femme arriva au pied de la jetée pleine d'énergie et d'enthousiasme, mais elle eut un choc devant les six sacs de quinze kilos d'engrais que Winkleman avait débarqués. En avait-elle vraiment commandé autant ? Et comment faire pour les transporter jusqu'au vignoble ? Sans compter que l'odeur dégagée par leur contenu — un mélange de matières organiques et de fumier — n'avait rien d'agréable.

Dexter, Brody et Nick étaient déjà là. Ce dernier mit sous le nez de Sara le carton qu'il venait de décharger et dit d'un air goguenard :

— Il n'y a là que des surgelés, du salami et de la bière, mais c'est tout de même meilleur que ce que Winkie vous a livré à vous !

— Très drôle..., marmonna la jeune femme.

— Je vous ai aussi apporté les produits d'épicerie que vous m'avez demandés, intervint Winkleman en lui tendant un grand sac en papier. Vérifiez, mais je crois que tout y est : yaourts, pain complet, jambon blanc... Je n'ai pas trouvé la marque de mayonnaise allégée que vous vouliez, mais j'espère que celle-ci vous conviendra.

— J'en suis sûre, répondit Sara sous l'œil narquois des trois autres hommes. Merci beaucoup, monsieur Winkleman.

— Vous venez, les gars ? lança Brody à ses compagnons. On va emporter nos provisions à l'intendance... Mais ne comptez pas sur moi pour entreposer les vôtres, mademoiselle Crawford... Je ne conserve que de la vraie nourriture dans mon réfrigérateur.

Sara allait répliquer sèchement lorsqu'une solution à son problème lui apparut. Elle ravala sa colère et déclara poliment :

— Avant que vous ne partiez, monsieur Brody, j'ai un service à vous demander. Auriez-vous l'obligeance de me prêter votre voiturette de golf ? J'en aurais besoin pour transporter ces sacs d'engrais.

— La batterie est à plat. Elle ne sera pas rechargée avant demain.

Il mentait, Sara le sentait, mais faute de pouvoir le prouver, elle se contenta de lui jeter un regard noir. Il la gratifia d'un sourire moqueur, puis il s'éloigna, Dexter sur ses talons.

— Attendez-moi ici, Sara ! dit alors Nick. Je dépose ce carton chez Brody et je reviens vous aider.

Cette proposition stupéfia la jeune femme et, le temps qu'elle ait recouvré assez de présence d'esprit pour remercier Nick, un cri s'éleva depuis le sentier :

— Qu'est-ce que tu fabriques avec ce truc ?

C'était Brody.

— Je vais aider Sara, répondit Nick.

Ryan déboucha quelques secondes plus tard du chemin, poussant une brouette un peu branlante mais en état de marche, qu'il posa près des sacs d'engrais.

— J'ai pensé que ça vous serait utile, expliqua-t-il fièrement à Sara.

— Vous êtes formidable ! s'exclama-t-elle.

— Vous voyez que la galanterie est une vertu encore en pratique à Thorne Island, dit Nick.

— En effet ! Je vous soupçonnais de l'avoir enfouie si profondément dans un de vos trous que vous ne la retrouveriez jamais, mais je me trompais.

Nick leva les yeux au ciel, puis il se dirigea avec son carton vers l'entrée du sentier.

— Bon, puisque tout est réglé, je m'en vais ! annonça Winkleman.

— Non, attendez ! s'écria Sara. Dites-moi d'abord si vous pouvez venir me chercher demain matin.

— Pas de problème : je devais faire la traversée pour autre chose de toute façon. Mais ça vous coûtera encore vingt dollars... Il faut bien que je paie l'essence !

La jeune femme faillit protester — la consommation d'essence était la même avec ou sans elle à bord —, mais elle se borna finalement à déclarer :

— D'accord ! A demain !

Nick, à peine engagé dans le chemin, avait entendu Sara demander à Winkie de venir la chercher le lendemain. Il s'arrêta pour écouter la suite de la conversation, mais elle ne lui apprit rien de plus. Il aurait pourtant bien aimé connaître la raison de cette requête. Sara avait-elle l'intention de partir pour de bon ? Juste après l'arrivée de sa commande d'engrais, ce serait surprenant, mais peut-être Brody l'avait-il définitivement dégoûtée de Thorne Island en refusant de lui prêter sa voiturette de golf ? Il ne se serait pas montré plus possessif avec ce vieux tas de ferraille s'il s'était agi d'une Rolls-Royce... Et la batterie n'était pas du tout à plat ! Brody roulait parfois pendant des heures, et se vantait ensuite de pouvoir faire encore trois fois le tour de l'île !

Oui, si Sara avait décidé de s'en aller, c'était la faute de Brody et de son mauvais caractère — sans parler de sa misogynie ! songea Nick, furieux.

Il rumina sa colère tout le long du chemin, mais alors qu'il atteignait la maison du coupable, l'incohérence de sa réaction le frappa soudain : il avait toujours considéré Sara comme une intruse ; il avait toujours pensé que plus vite elle s'en irait, mieux cela vaudrait... Alors pourquoi la réalisation probable de ce vœu le mettait-elle dans tous ses états ? Pourquoi, au lieu d'être reconnaissant à Brody, avait-il envie de l'étrangler ?

— Méfie-toi, Romano ! grommela-t-il. Si tu ne te ressaisis pas rapidement, tu cours au-devant de graves ennuis !

Nick passa trois bonnes heures à tenter de se glisser dans la peau d'Ivan Banning et de remonter la piste des trafiquants de drogue. Il savait que ce serait une tâche difficile depuis le moment où il avait trouvé dans le réfrigérateur un sandwich préparé à son intention. Un petit mot posé sur la table de cuisine était là pour le prouver.

La dernière fois que quelqu'un lui avait fait un sandwich, il était en classe de sixième, et c'était Paloma, la domestique péruvienne de sa mère, qui s'en était chargée. Il l'aimait bien, mais elle avait la fâcheuse habitude d'ajouter à la garniture de tous ses sandwichs des morceaux de carotte et de céleri qui en gâtaient le goût. Sara, elle, s'était contentée de mettre du beurre et du salami.

Agacé de ne réussir à écrire qu'une ou deux phrases toutes les quinze minutes, Nick finit par se lever. Il avait abandonné Sara et Ryan près de la jetée, tout à l'heure, mais les sacs d'engrais devaient maintenant être parvenus à destination... Il traversa le couloir pour se rendre dans une chambre exposée au nord et regarda par la fenêtre. Deux silhouettes s'activaient au milieu des vignes.

Nick retourna à son ordinateur, l'éteignit, puis descendit dans la cuisine et sortit par la porte du jardin. Le temps qu'il arrive au vignoble, Ryan était parti, mais Sara était encore là. Elle avait trouvé le vieux robinet installé près de l'ancien pressoir et, penchée en avant, elle était en train de se passer les bras sous l'eau. Bizarrement, cette scène embrasa les sens de Nick. Jamais il n'aurait cru que le spectacle tout simple d'une femme en train de se laver les bras possédait une telle charge érotique.

Lorsque Sara tourna la tête et l'aperçut, un sourire illumina son visage. Elle avait l'air vraiment contente de le voir, et Nick en fut aussi surpris que touché.

— Venez ! lui cria-t-elle. J'ai quelque chose à vous montrer.

Il la rejoignit et elle l'entraîna dans un rang de ceps en disant :

— Promettez-moi de ne pas vous moquer de moi !

— Ce n'est pas mon genre.

— Si, justement, mais cette fois, je vous demande de m'épargner vos sarcasmes… Regardez !

Sara souleva une touffe de jeunes feuilles, et un agglomérat de minuscules boules vertes apparut.

— Ces vignes sont vivantes, murmura la jeune femme avec une sorte de considération dans la voix.

C'était bien du raisin, constata Nick après avoir examiné les grains de plus près, et, contrairement à la grappe toute rabougrie de la veille, celle-ci allait croître et embellir grâce aux soins de Sara.

— Tous les plants ne sont pas en aussi bonne santé, reprit cette dernière, mais nous avons bêché et mis de l'engrais au pied des plus prometteurs, Ryan et moi. La récolte ne sera sans doute pas très abondante, mais il y en aura une dès cette année. Les vendanges devraient pouvoir commencer à la fin de l'été.

Elle en parlait comme si elle comptait être là pour les faire, songea Nick. Avait-elle décidé de rester, finalement, et même de prolonger son séjour de plusieurs mois ?

— Il faudra bien sûr que Ryan s'occupe du vignoble à ma place, enchaîna-t-elle, mais j'aurai au moins la satisfaction de savoir que nous avons réussi.

Cela signifiait qu'elle allait partir, et Nick en éprouva à la fois du soulagement — les hommes de Thorne Island retrouveraient alors leur existence paisible — et une déception à la mesure du secret espoir qu'il avait un instant caressé.

— Je ne suis malheureusement pas certaine que Ryan aura envie de continuer le travail sans moi, poursuivit la jeune femme, surtout si vous tournez ses efforts en ridicule, vous et les autres.

— Nous n'oserions pas !

— Oh, si ! Et il est très sensible, alors ménagez-le, je vous en prie !

— Nous ne le connaissons pas aussi bien que vous, évidemment, mais ne vous inquiétez pas pour lui : nous le traitons toujours avec la plus grande délicatesse.

— Riez tant que vous voudrez, n'empêche que Ryan est le meilleur d'entre vous... J'ai un service à vous demander, maintenant.

— Oui, lequel?

— Donnez-moi la clé du pressoir, pour que je puisse y aller avant la tombée de la nuit. Comme vous êtes le gardien de ce royaume, vous devez en avoir les clés.

— C'est exact. Je vais vous les chercher.

Nick regagna la maison en se félicitant d'être parvenu à maîtriser ses émotions. Sara partait, et il n'y avait aucun regret à en avoir. Elle avait peut-être même renoncé à transformer Thorne Island en lieu de villégiature : avec un peu de chance, la remise en état du vignoble suffirait à satisfaire son besoin de marquer l'île de son empreinte. Ryan passerait sans doute plus de temps qu'avant dans les vignes, mais ce serait le seul changement que leur nouvelle propriétaire aurait apporté à leur vie à tous.

Sans vouloir se l'avouer, Nick avait pourtant le sentiment que les choses n'étaient pas aussi simples et que Sara, même à des milliers de kilomètres de lui, continuerait de hanter son esprit.

Adossée au vieux mur de pierre du pressoir, Sara regardait Nick s'approcher. Il boitait à peine ce jour-là, et les clés suspendues au gros anneau qu'il tenait à la main cliquetaient au rythme cadencé de ses pas. Dans la lumière déclinante du soir qui allongeait son ombre, l'impression de force et d'autorité qui émanait de lui impressionna Sara au point qu'elle jeta un coup d'œil à ses bras pour se rassurer : les petites taches roses laissées par la lotion à la calamine prouvaient que Nick pouvait être gentil.

— Il faut se dépêcher, lança-t-il en arrivant à sa hauteur. La nuit sera vite là, et le pressoir est infesté d'araignées.

— Je ne vous crois pas ! Vous dites ça dans le seul but de m'effrayer. Je ne suis même pas sûre que vous soyez jamais entré dans ce bâtiment !

— Si, il y a trois ans, pour y chercher du chatterton et une pince coupante.

— Vous étiez en train de fabriquer une bombe ?

— Désolé de vous décevoir, mais je voulais simplement réparer le câble de mon ordinateur.

Nick tourna une clé dans la serrure rouillée, et dut ensuite pousser avec l'épaule la lourde porte de chêne, dont le bois avait gonflé sous l'effet de l'humidité. Les gonds gémirent, mais finirent par céder, et le battant se déplaça juste assez pour permettre à Sara et à Nick de se glisser à l'intérieur du pressoir.

La jeune femme y pénétra la première et eut aussitôt l'impression d'être projetée un siècle en arrière. Elle s'immobilisa le temps que ses yeux s'accoutument à la pénombre, puis elle avança de quelques pas.

Les derniers rayons du soleil, tamisés par d'étroites fenêtres placées en hauteur, éclairaient faiblement des murs de pierre nus, mais apparemment sains. Une énorme cuve de bois occupait le centre du local, vestige de l'époque où le foulage du raisin se faisait avec les pieds. Des claies, des cruches et des paniers à vendange voisinaient avec des étagères où s'alignaient des bouteilles dont des étiquettes à demi effacées indiquaient le contenu : levure, anhydride sulfureux, saccharose... La senteur douce et fruitée qui remplissait la pièce parvenait presque à masquer l'odeur moins agréable de renfermé qu'avaient créée des années d'abandon.

Fascinée, Sara alla caresser tour à tour la surface lisse des cruches, l'osier des paniers, le bois rugueux des claies, l'acier froid des bandes métalliques qui renforçaient la cuve...

Nick ne partageait certainement pas son ravissement, et pourtant elle ne put s'empêcher d'observer :

— Cet endroit est fabuleux, non ?

— Oui, à condition d'aimer l'odeur de moisi et le spectacle de tout un tas de vieilleries inutiles et poussiéreuses.

Si ce commentaire critique ne surprit pas Sara, elle fut en revanche étonnée, en se retournant, de voir Nick si près d'elle. Le sol en terre battue avait étouffé le bruit de ses pas.

— Vous savez de quand date la plantation du vignoble ? demanda-t-elle.

— Du début du XIXe siècle, d'après ce que m'a dit Millie. Une certaine famille Kraus, originaire d'Allemagne, est venue s'installer ici à cette époque et y a produit du vin pendant plusieurs générations, comme beaucoup d'habitants des îles du lac Erié. C'est aux Kraus que Millie a acheté celle-ci, dans les années 80. Ils avaient alors abandonné leurs activités viticoles, et elle a engagé de la main-d'œuvre pour remettre les vignes en culture, mais ce devait être trop coûteux car elle a finalement renoncé à les exploiter.

— Que sont devenus les Kraus ?

— Ils sont partis vivre à Detroit.

— Moi, j'aurais eu du mal à laisser tout cela derrière moi.

Sara parcourut encore une fois la pièce des yeux et vit alors un escalier étroit, dont les marches s'enfonçaient dans la pénombre.

— Qu'y a-t-il au sous-sol ? demanda-t-elle.

— La cave… Autant que je me souvienne, le plafond est très bas et il y fait un froid glacial. Elle ne contient en outre rien d'intéressant — juste de vieux tonneaux et des bouteilles poussiéreuses.

— Je vais quand même y descendre.

— Non, n'y allez pas ! Elle n'a aucune ouverture, et vous pourriez tomber, dans le noir.

Mais il en fallait plus pour décourager la curiosité et la détermination de Sara : elle posa le pied sur une première marche, sur une deuxième…

La troisième était cassée. La jeune femme perdit l'équilibre, et elle aurait basculé dans le vide si Nick ne l'avait retenue en lui passant un bras autour de la taille. Il remonta ensuite l'escalier à reculons, et Sara se serra contre lui, tremblante à l'idée de ce qui aurait pu arriver.

— Je suis désolée, Nick..., dit-elle quand ils furent de nouveau au niveau du sol.

— Je vous avais pourtant prévenue !

Il la posa par terre mais sans la lâcher, ce dont elle lui fut reconnaissante car elle avait les jambes encore un peu tremblantes.

— Vous ne suivez donc jamais les conseils qu'on vous donne ? reprit Nick plus doucement en la faisant pivoter dans ses bras.

Maintenant face à lui et le visage tout près du sien, Sara sentit les battements de son cœur s'accélérer. Comme elle était à présent remise de sa frayeur, cette réaction était forcément due à un autre type d'émotion...

— Si, il m'arrive de les suivre, répondit-elle d'une voix mal assurée.

Les yeux gris de Nick se fixèrent sur ses lèvres, puis il lui souleva le menton, et ce fut la bouche à quelques centimètres de la sienne qu'il murmura :

— J'ai plutôt l'impression que vous n'écoutez que vous-même. Vous êtes trop passionnée.

— Et vous, trop détaché.

— Peut-être, mais cela m'apporte une paix qu'il m'a fallu des années pour construire, et je n'admets pas que quelqu'un se permette de me juger sans même me connaître, et veuille changer mon mode de vie.

— Je ne veux rien de tel ! s'écria la jeune femme.

Elle essaya de se détourner, mais Nick l'en empêcha en refermant la main sur sa nuque.

— Si, déclara-t-il, vous voulez tout changer, et vous le savez très bien !

Puis, comme elle allait encore protester, il la réduisit au silence par un baiser qui lui fit perdre en un instant la notion du lieu, du temps, et jusqu'à la conscience du monde extérieur. Rien n'existait plus que l'univers de sensations grisantes dont son compagnon était en train de lui ouvrir les portes.

Quand il s'écarta d'elle, Sara eut du mal à redescendre sur terre.

— Nick..., commença-t-elle.

— Non, ne dites rien ! coupa-t-il. Et ne me posez pas de questions ! C'était un baiser, c'est tout. Un baiser d'adieu.

— D'adieu ? Mais je ne pars pas !

— Je vous ai pourtant entendue demander à Winkie de venir vous chercher demain.

— Oui, il faut que je prenne le ferry de Sandusky. J'ai des courses à faire, et je dois aussi aller voir mon père à Brewster Falls, mais je serai de retour ici après-demain.

Une succession d'émotions dont la jeune femme ne parvint pas à identifier la nature passa sur le visage de Nick, puis il poussa un grand soupir et se dirigea vers la porte en marmonnant :

— Vous me rendez fou !

— Vous m'accordez des pouvoirs que je n'ai pas, monsieur Bass ! lui cria Sara. Vous aviez déjà l'esprit dérangé bien avant mon arrivée !

7.

Il était 8 h 30 quand Sara entendit le bateau de Winkleman, et comme elle voyait de la lumière chez Nick depuis plus d'une heure, elle se dit que les hommes de Thorne Island ne faisaient peut-être pas grand-chose de leurs journées, mais qu'ils le faisaient tôt. Bien qu'elle soupçonne Nick, qui restait des après-midi entiers enfermé dans sa chambre, de passer son temps non pas à dormir, mais à travailler devant son ordinateur. Et dans ce cas, à quelle tâche pouvait-il bien s'occuper ?

Mais Sara était trop pressée pour s'appesantir sur ce mystère : si Winkleman l'emmenait tout de suite à Put-in-Bay, elle y serait à temps pour prendre le ferry de 10 heures. Elle mit sa liste de courses dans la poche extérieure de son sac de voyage et sortit dans le couloir.

— A demain, monsieur Bass ! cria-t-elle en direction de la porte entrouverte de Nick.

— Si je ne suis pas parti en voyage, moi aussi ! répondit-il.

— Casanier comme vous l'êtes, ça m'étonnerait !

Contente d'avoir eu le dernier mot, Sara gagna le palier… et s'arrêta net en voyant la porte d'entrée s'ouvrir, livrant passage à une femme brune qui portait en bandoulière un grand fourre-tout en plastique orange.

— Salut ! lança l'inconnue.

Son ton désinvolte prouvait que cette rencontre ne la surprenait pas, elle, le moins du monde. A court de mots, et consciente de son impolitesse, Sara l'examina de la tête aux pieds. Sa présence semblait remplir le vestibule de vie et de couleurs : elle était vêtue d'un caleçon gris perle et d'un chemisier sans manches à rayures roses, bleues et vertes. Ses cheveux courts, noirs et bouclés, s'ornaient d'un turban fuchsia assorti à la teinte de son rouge à lèvres. Le reste de son maquillage, ni très discret ni vraiment outrancier, ne permettait pas de déterminer son âge.

C'est Winkleman qui l'avait amenée, songeait Sara en la détaillant des pieds à la tête, mais pourquoi ?

Ses bonnes manières finirent cependant par lui revenir, et, se rappelant qu'elle était maintenant la propriétaire de l'hôtel, elle dit d'une voix qui se voulait à la fois ferme et accueillante :

— Bienvenue au Cozy Cove ! Que puis-je faire pour vous ?

— Rien, je connais la maison, mais merci quand même.

— Vous passerez la nuit ici ?

— Oui, comme toujours, répondit la femme avant de monter l'escalier d'un pas assuré. Vous vous demandez qui je suis, hein ?

Sara se contenta de hocher affirmativement la tête. L'évidente familiarité de son interlocutrice avec la géographie des lieux l'amenait à se poser des questions sur la nature des relations qu'elle entretenait avec Nick Bass.

— Je m'appelle Gina, Gina Sacco, annonça cette dernière, et je viens régulièrement couper les cheveux de ces messieurs de Thorne Island. C'est mon métier : je suis coiffeuse.

Elle tendit la main à Sara, qui la serra en disant :

— Et moi, je m'appelle Sara Crawford. Je ne suis sur l'île que depuis quelques jours, et je n'en connais pas encore toutes les coutumes. Ainsi, vous êtes coiffeuse... Cela explique votre... votre visite.

Soulagée mais encore un peu secouée, elle inspira profondément et s'obligea à reprendre son rôle d'hôtesse :

— N'étant pas au courant de votre venue, je ne vous ai pas préparé de chambre, mais vous pouvez vous installer dans la mienne : je ne l'occuperai pas ce soir. M. Winkleman m'emmène à Put-in-Bay ce matin même.

— Oui, il me l'a dit... Merci de m'offrir votre chambre, mais je n'en aurai pas besoin.

Gina tourna la tête vers le couloir, puis elle ajouta avec un petit sourire entendu :

— Je coucherai là où je couche d'habitude.

— Je... je vois, bredouilla Sara.

Le feu aux joues et les doigts serrant si fort la poignée de son sac que ses ongles s'enfonçaient dans sa paume, elle descendit ensuite l'escalier quatre à quatre.

Ainsi Gina partageait la chambre de Nick !

Son cœur cognait dans sa poitrine, mais le bruit du sang qui lui battait aux tempes ne l'empêcha pas d'entendre la coiffeuse lui crier d'une voix joyeuse :

— A une autre fois, et amusez-vous bien !

Les images de ce qui allait se passer ce soir-là au Cozy Cove poursuivirent la jeune femme tout au long du chemin qui la menait à la jetée.

*
**

Pendant la traversée, Sara regretta plus que jamais de ne pouvoir engager une vraie conversation avec Winkleman à cause du vacarme du moteur. Cela lui aurait évité de ressasser le souvenir de sa rencontre avec Gina Sacco. Une fois à destination, Winkleman la quitta immédiatement pour se rendre au bar des Pêcheurs, et les quatre personnes qui prirent le ferry avec elle ne paraissaient pas d'humeur à bavarder.

Sara resta donc seule avec ses sombres pensées. Elle aurait pourtant dû s'attendre à ce que Nick ait une maîtresse. Il vivait peut-être en ermite, mais il n'avait sûrement pas fait vœu de chasteté. Un homme comme lui...

« Un homme comme lui... » La jeune femme répéta plusieurs fois ces mots, mais elle eut beau réfléchir, ils ne soulevaient que des interrogations : quel genre d'homme était Nick Bass ? Que rédigeait-il sur son ordinateur ? Pourquoi avait-il reçu une balle dans la colonne vertébrale ? Y avait-il là-dessous une histoire d'honneur, ou de trahison ? D'amour, ou de haine ?

Le temps d'arriver à Sandusky, Sara avait fini par se dire qu'elle ne se posait pas les bonnes questions : elle aurait mieux fait de se demander pourquoi elle s'intéressait tant à Nick Bass, pourquoi elle cherchait à comprendre un homme aussi compliqué et difficile à vivre.

« Oublie-le ! songea-t-elle. Concentre-toi sur la réhabilitation de Thorne Island ! »

La jeune femme se dirigea vers la Chevy bleue louée le samedi précédent à l'aéroport de Cleveland. Cela lui paraissait très loin, mais les clés de la voiture étaient dans la poche de son jean, et elle les sortit tout en marchant. Ces vingt-quatre heures loin de l'île lui feraient du bien ; elles lui permettraient de remettre de l'ordre dans ses idées et de réfléchir à la façon dont elle allait pouvoir transformer son héritage en une entreprise rentable depuis son appartement de Fort Lauderdale. Nick Bass resterait au Cozy Cove ou en partirait, peu lui importait... Peu lui importait aussi ce qu'il y faisait et avec qui il couchait. Elle mènerait son projet à bien, que cela plaise ou non à M. Bass et aux trois autres reclus volontaires qui considéraient Thorne Island comme leur domaine privé.

La satisfaction que Sara tira de sa propre détermination fut de courte durée, car elle s'aperçut soudain qu'elle avait dépassé la Chevy et franchi l'entrée du parking. Loin d'oublier Nick Bass, elle évoquait son nom toutes les dix secondes, et si elle n'y prenait pas garde, la pensée obsédante de cet homme allait lui faire faire à pied tout le trajet jusqu'à Brewster Falls...

— C'est vous qui me rendez folle, monsieur Bass..., marmonna-t-elle en rebroussant chemin.

Deux minutes plus tard, Sara s'installait au volant de la Chevy. Brewster Falls n'était qu'à une heure de route de Sandusky, et l'idée de revoir bientôt son père la revigora. C'était un esprit cartésien, qui saurait la conseiller, et elle avait également soif de chaleur humaine, après ces trois jours passés dans un climat d'hostilité ouverte ou larvée.

L'autoroute, puis une départementale la menèrent à sa ville natale. Un grand panneau de bois, à l'entrée, y accueillait les visiteurs ; il arborait fièrement les logos du Lions Club et du Rotary Club, et indiquait un nombre d'habitants qui avait à peine changé en trente ans. Rien ne semblait jamais changer, à Brewster Falls, et chaque fois qu'elle y revenait, Sara avait l'impression de remonter dans le temps. La vie de cette petite ville tranquille de l'Amérique profonde pouvait paraître ennuyeuse, comparée à celle des grandes métropoles de la côte Est, mais c'était là que Sara avait grandi, là qu'étaient ses racines.

Ben Crawford y tenait l'une des seules stations d'essence de la région à ne pas avoir été transformée en libre-service et à posséder encore un atelier de réparation. Quand la jeune femme s'arrêta sur l'aire de stationnement, un homme s'approcha pour la servir. C'était Earl Pasco, le pompiste et mécanicien qu'elle avait toujours vu travailler là. Lorsqu'il la reconnut, un grand sourire éclaira son visage buriné, et il s'exclama :

— Sara ! Quelle bonne surprise !

— Bonjour, Earl.

— Pourquoi ton père ne m'a-t-il pas averti de ta visite ?

— Je la lui avais annoncée, mais sans préciser la date. Il est dans le garage ?

La réponse à cette question fut fournie par l'apparition, sur le seuil de l'atelier, d'une haute et large silhouette.

— Ma chérie ! s'écria Ben Crawford.

Puis, avec une agilité surprenante pour un homme de sa corpulence, il courut vers la Chevy, ouvrit la portière et arracha pratiquement sa fille du siège du conducteur avant de la serrer dans ses bras. Il recula ensuite d'un pas, la considéra attentivement et dit d'un ton satisfait :

— Tu as l'air en pleine forme.

— Toi aussi, papa.

— Alors, qu'as-tu à me dire ? Je brûle d'impatience, depuis ton dernier coup de téléphone.

— C'est une longue histoire.

— Tu vas me la raconter à l'intérieur, dans ce cas, et devant un bon café… Je te laisse finir de changer les bougies du pick-up de Lou, Earl !

Ben entraîna Sara vers le pavillon que la famille Crawford avait toujours habité, à quelques dizaines de mètres seulement de la station-service. Il prépara du café, s'installa en face de sa fille à la table de la cuisine et déclara, les yeux brillants de curiosité :

— Je t'écoute.

— Tu te souviens de Millicent Thorne, la tante de maman ?

— Millie ? Oui, bien sûr ! Il ne lui est rien arrivé, j'espère ?

— Si, malheureusement : elle est morte il y a une quinzaine de jours.

— Quelle tristesse ! Si je l'avais su, je serais allé à son enterrement... Je l'aimais beaucoup, même si nous nous voyions rarement. La dernière fois, c'était il y a quelques années. Elle avait fait le voyage depuis Columbus spécialement pour me rendre visite.

— Pourquoi ?

— Je ne t'en ai pas parlé, à l'époque ?

— Non.

— J'ai dû oublier, mais voilà ce qui s'est passé : Millie avait acheté une petite île du lac Erié, et...

— Je suis au courant, papa.

Ben se renversa sur sa chaise, l'air surpris.

— Ah bon ? Et tu es au courant, aussi, de la machination dont elle a été victime ?

— De la part de qui ?

— D'un promoteur dont je ne me rappelle pas le nom.

— La Golden Isles Development Corporation ?

— Oui, c'est ça, mais comment le sais-tu ?

— Peu importe... Continue, papa ! Je ne connais pas toute l'histoire.

— Eh bien, l'un des dirigeants de cette société a proposé à Millie de lui racheter son île, en disant qu'elle avait intérêt à s'en débarrasser pendant qu'elle pouvait encore en tirer quelques dollars. Il lui a montré des études scientifiques, des rapports d'experts et des analyses prouvant que la pollution avait fait disparaître du lac Erié toute forme de vie animale et végétale. Ces documents étaient faux et, pour être plus crédible, le promoteur a prétendu ne s'intéresser qu'aux vieilles pierres et aux objets anciens récupérables sur l'île.

— Il voulait l'acheter le moins cher possible et réaliser ensuite d'énormes bénéfices en la revendant par parcelles ?

— Oui, c'était un escroc, car, à cette époque, les eaux du lac Erié étaient déjà en cours d'épuration. Mais Millie l'ignorait, et elle a accepté la transaction. Plusieurs propriétaires de petites îles des Grands Lacs ont ensuite pris contact avec elle. Ils avaient été dupés par le même promoteur, et bien que les méthodes employées aient un peu varié d'une fois sur l'autre, elles étaient toutes malhonnêtes.

Sara se souvint brusquement de ce que Me Adams lui avait dit à ce sujet, mais elle préféra laisser son père parler. Il avait l'air d'en savoir beaucoup plus que le notaire.

— Toutes les victimes de cette tromperie, dont Millie, se sont entendues pour intenter une action collective, poursuivit Ben. Ils n'étaient cependant pas certains d'avoir gain de cause face à un promoteur qui avait les moyens d'engager les meilleurs avocats du pays. Millie s'est alors rappelé que j'étais un homme de ressource, et elle est venue me demander conseil. Je lui ai suggéré de téléphoner sur-le-champ au rédacteur en chef du *Cleveland Plain Dealer* et de lui raconter toute l'histoire.

Les médias sont friands de ce genre d'affaire, et le *Plain Dealer* nous a en effet envoyé dès le lendemain l'un de ses journalistes d'investigation. Après avoir bombardé Millie de questions, il est reparti en lui disant qu'il allait continuer l'enquête et faire éclater le scandale au grand jour. La justice serait ainsi moins tentée de trancher en faveur du plus riche et du plus puissant.

— Ce plan a marché, n'est-ce pas ?

— Oui, et même au-delà de toute espérance. Les plaignants se sont vu restituer leur propriété et accorder en plus de grosses indemnités. Millie voulait me donner une partie des siennes, mais j'ai évidemment refusé. Le plaisir de lui avoir rendu service me suffisait.

La jeune femme sourit à son père. Elle était fière d'être la fille d'un homme aussi désintéressé.

— Si tante Millie t'a offert de l'argent, déclara-t-elle, je me demande ce qu'elle a fait pour remercier ce journaliste de son aide.

— Elle lui était si reconnaissante que je ne serais pas étonné d'apprendre qu'elle lui a légué son île ! s'exclama Ben en riant.

— Eh bien, je vais te surprendre : c'est à moi qu'elle l'a léguée.

— A toi ? Mais pourquoi ?

— D'après ce que m'a dit son notaire, c'est parce qu'elle me considérait comme une personne sérieuse et réfléchie, mais je pense maintenant que c'était plutôt un moyen indirect de te prouver sa gratitude.

— Tu as sûrement raison, et j'imagine que tu es venue dans l'Ohio pour découvrir les terres dont tu as hérité ?

— Oui. J'y ai déjà passé trois jours, et je suis emballée ! Cette île n'a pas été bien entretenue, mais elle possède un gros potentiel, que j'ai la ferme intention d'exploiter. J'y retourne demain, et je compte y rester jusqu'à la fin de la semaine prochaine.

Une expression soucieuse se peignit sur les traits de Ben.

— Je n'aime pas trop l'idée que tu sois seule là-bas, observa-t-il.

— Je n'y serai pas seule. Quatre personnes y vivent à demeure.

— Une famille ?

— Non, quatre célibataires.

— Deux couples non mariés, alors ?

— Non, quatre hommes.

— Il n'est pas question que je te laisse passer deux semaines entières en compagnie de parfaits inconnus ! C'est trop risqué.

— Ne t'inquiète pas : ils sont tout à fait inoffensifs. Ils m'ont même témoigné beaucoup de gentillesse et de serviabilité.

Quels mensonges ne devait-elle pas inventer pour calmer les angoisses de son père !

— Ils ne s'intéressent pas aux femmes ? demanda Ben.

L'image de Gina Sacco s'imposa à l'esprit de Sara. Nick Bass s'intéressait aux femmes, elle n'avait aucun doute là-dessus ! Il l'avait même embrassée deux fois, alors qu'ils se connaissaient à peine... Mais si son père l'apprenait, il l'empêcherait de retourner à Thorne Island, par la force si nécessaire.

— Je l'ignore, répondit-elle. Tout ce que je sais, c'est qu'ils ont tous été parfaitement corrects avec moi. Je ne risque rien sur cette île.

Elle avait bien failli se rompre le cou dans l'escalier du pressoir, mais du seul fait de son imprudence. Elle n'était cependant pas certaine qu'il n'y avait pas à Thorne Island d'autres dangers, d'une nature différente.

— Tu me dis bien la vérité ? demanda Ben, visiblement à moitié convaincu.

— Mais oui, papa !

— Le meilleur moyen pour me sentir rassuré serait de t'accompagner là-bas. J'ai malheureusement trop de travail en ce moment, mais si je peux faire quelque chose pour t'aider…

— J'allais justement te demander de vérifier si ma vieille Coccinelle était encore en état de rouler.

— Elle l'est ! Je l'entretiens régulièrement, et je m'en sers de temps en temps pour recharger la batterie. Je l'ai même repeinte cet hiver.

— Génial ! J'ai loué une Chevy à l'aéroport de Cleveland, et je vais la rendre demain. Je prendrai ensuite la Coccinelle pour retourner à Sandusky, je la mettrai sur le ferry de Put-in-Bay, et je me débrouillerai pour la faire transporter sur mon île. Elle m'y sera très utile.

— Earl va t'accompagner à Cleveland, mais avant de partir, promets-moi de m'appeler souvent.

— Je te le promets, dit Sara en posant la main sur celle de son père. La première chose que j'ai inscrite sur ma liste de courses est justement un téléphone portable.

8.

Nick chassa d'une chiquenaude impatiente une petite touffe de cheveux tombée sur son genou. Il avait l'impression que cette séance de coiffage durait depuis des heures, et il n'en pouvait plus de rester immobile.

— C'est bientôt terminé ? marmonna-t-il.

— Pourquoi ? demanda Gina d'un ton taquin en dirigeant le souffle du sèche-cheveux sur son visage. Tu as un rendez-vous urgent ?

— Non, mais je n'ai pas besoin non plus de ressembler à une gravure de mode, alors éteins cet appareil ! Mes cheveux finiront de sécher tout seuls.

— D'accord, mais permets-moi de te dire que je me suis déjà occupée d'enfants de cinq ans qui gigotaient moins que toi aujourd'hui ! Toute ton éducation est à refaire.

— Je le sais. Ma pauvre mère a eu beau essayer de m'inculquer les bonnes manières, ma nature rebelle y a toujours été réfractaire.

Gina éclata de rire, puis elle se pencha pour prendre le miroir à main posé sur la tablette du lavabo. Ses seins généreux frôlèrent l'épaule de Nick, et il eut la surprise de ne pas éprouver l'excitation que ce contact aurait dû normalement lui causer.

— Qu'en penses-tu ? déclara Gina après avoir placé le miroir derrière sa tête.

— C'est très bien.

— Tu n'as même pas regardé !

Nick jeta un rapide coup d'œil à la glace de la salle de bains et répéta :

— C'est très bien.

— Mais qu'est-ce que tu as, ce matin ? Je te trouve nerveux, comme si tu avais peur de quelque chose...

La peur, la vraie, était une émotion que Nick connaissait pour en avoir fait l'expérience une fois dans sa vie. Ce qu'il ressentait était un peu différent, mais s'y apparentait malgré tout.

— Tu as des soucis ? reprit Gina. Des ennuis d'argent, peut-être ? Quand tu t'es installé ici, tu m'as dit que tu y resterais jusqu'à ta mort ou jusqu'à ce que tu n'aies plus d'argent, et comme tu es encore en vie...

— Arrête ! Je n'ai aucun problème.

— C'est vrai ?

— Mais oui ! Tout va bien.

— On va voir ça !

— Comment ?

En guise de réponse, Gina vint s'asseoir sur les genoux de Nick, lui passa un bras autour du cou et l'embrassa à pleine bouche. Il était censé lui rendre ce baiser avec une égale ardeur, mais s'il le comprenait intellectuellement, son corps, lui, refusait de coopérer : il demeurait sourd aux messages que lui envoyait son cerveau.

Gina finit par s'écarter de lui. Elle se leva et déclara avec un petit sourire désabusé :

— J'avais raison : tu n'es pas dans ton état normal. Nous sommes d'origine italienne, tous les deux, et les Italiens ont le sang chaud, non ?

— Ils ont cette réputation, en effet.
— Ce n'est pas seulement une réputation, et tu me l'as souvent prouvé, mais là, rien...
— Je suis désolé, Gina. Je ne sais pas ce que...
— Inutile de t'excuser, et je crois savoir, moi, ce qui te tracasse... J'ai croisé tout à l'heure une jolie blonde qui s'apprêtait à partir, et je me demande si ce n'est pas elle que tu aurais voulu avoir sur tes genoux, à l'instant.
« Dis-lui qu'elle se trompe ! songea Nick. Dis-lui que tu te moques complètement de cette blonde ! »
Mais quand il ouvrit la bouche, aucun son n'en sortit. Quel idiot il faisait ! Gina était gentille et accommodante, elle ne prétendait pas le changer et n'avait jamais exigé de lui plus qu'il n'était prêt à offrir. Sara Crawford était tout le contraire — querelleuse, autoritaire, envahissante —, alors pourquoi cherchait-il les complications en pensant sans cesse à elle ?
Sans doute parce qu'il ne pouvait pas s'en empêcher...
— Puisque c'est comme ça, dit Gina, je vais chez Dexter. Lui, au moins, il ne se tortille pas comme un ver quand je lui coupe les cheveux !
Nick savait qu'il lui aurait suffi d'un mot pour la retenir, mais les seuls mots qui lui vinrent aux lèvres, une fois la jeune femme partie, furent ceux qu'il s'adressa à lui-même en se regardant dans le miroir de la salle de bains :
— Tu devrais consulter un psychiatre, Romano !

Le lendemain après-midi, Nick regarda sa montre, repoussa son fauteuil et se rendit dans une chambre dont l'orientation permettait de voir la jetée. A travers les branches des arbres, plus touffues de jour en jour, il aperçut l'étendue d'eau très bleue, mais désespérément vide du lac. Que faisait Sara ? Il était près de 18 heures, et il n'y aurait bientôt plus assez de lumière pour que Winkie entreprenne la traversée. Il n'avait pourtant pas rêvé la veille... Elle lui avait bien dit « à demain » avant de partir...

Un vrombissement retentit soudain au loin. Nick ouvrit la fenêtre et se pencha, tous ses sens en alerte. C'était bien le bruit d'un moteur, mais pas celui, reconnaissable entre tous, du vieux rafiot de Winkie. Il sortit néanmoins de la pièce et descendit au rez-de-chaussée. Gina était assise sous la véranda, un magazine sur les genoux.

Elle leva la tête en entendant Nick arriver, mais ne l'accueillit pas avec son habituel sourire. Il ne l'avait pas revue depuis qu'elle avait quitté l'hôtel, la veille.

— Je suis en train de remplir un questionnaire, dit-elle. Qui, à ton avis, a les plus beaux yeux : Kevin Kostner, Mel Gibson ou George Clooney ?

— Ecoute, Gina, je suis désolé...

— Cette réponse ne fait pas partie des choix possibles.

— D'accord... Kevin Kostner, alors.

Un sourire apparut enfin sur le visage de Gina, et y resta pendant qu'elle cochait une case. Il était pardonné.

— Il y a un bateau qui s'approche, annonça-t-il en ramassant le fourre-tout en plastique orange abandonné sur le sol. Je n'ai pas l'impression que ce soit Winkie, mais il a peut-être demandé à quelqu'un d'autre de venir te chercher.

Sa revue sous le bras, Gina le suivit jusqu'à la jetée. Là, il mit sa main en visière pour se protéger des reflets éblouissants du soleil sur l'eau, et distingua la coque bleu et blanc d'une péniche, à cinq cents mètres environ du rivage.

— Alors ? dit Gina.

— C'est un de ces bateaux qui promènent les touristes sur le lac. Il ne fait que passer.

Alors que Nick allait se détourner, un objet attira son attention. Il toucha l'épaule de Gina et pointa l'index vers l'embarcation.

— Regarde ! Il y a un gros truc jaune sur le pont… Qu'est-ce que ça peut bien être ?

Après avoir fouillé dans son sac, Gina en sortit un étui et chaussa une paire de lunettes à monture d'écaille.

— Je crois que c'est un barbecue, répondit-elle.

— Un barbecue jaune ? s'écria Nick en riant.

— Et pourquoi pas ? Ça met de la couleur dans un jardin ! J'ai même envie de m'en acheter un.

— Je doute que tu en trouves, mais peu importe… Je rentre à l'hôtel. Tu viens ?

— Non, je vais attendre Winkie ici. Il ne devrait pas tarder.

Nick regagna le Cozy Cove, prit une bière dans le réfrigérateur, puis remonta s'asseoir devant son ordinateur en se jurant de ne plus se préoccuper des allées et venues de Sara Crawford. Peut-être avait-elle finalement décidé de repartir directement en Floride, auquel cas il pourrait enfin se concentrer sur son roman.

Au bout de dix minutes pendant lesquelles Nick n'avait pas réussi à écrire une phrase complète, la voix de Brody résonna dans la cage d'escalier :

— Je n'en reviens pas ! Cette femme est complètement folle !

Gina aurait-elle entrepris de rallier Put-in-Bay à la nage ? se demanda Nick avant de se lever et d'aller se pencher à la balustrade du palier.

— Quoi qu'ait fait Gina, Brody, ce n'est pas la peine de hurler comme ça.

— Je ne parle pas de Gina, mais de notre maudite propriétaire !

Le cœur de Nick bondit dans sa poitrine. Il descendit l'escalier aussi vite que le lui permettait sa jambe raide, et demanda à Brody, rouge de colère :

— Sara est revenue ?

— Oui, et... et... Il faut que tu voies ça par toi-même ! C'est inimaginable !

Le spectacle que Nick découvrit en arrivant à la jetée le laissa en effet bouche bée : la péniche de tout à l'heure était maintenant tout près du rivage. Winkie la pilotait, et Sara s'agitait sur le pont comme une poule inquiète pour ses poussins — il n'y en avait qu'un, mais l'image n'en était pas moins appropriée car il s'agissait d'une Coccinelle jaune vif.

Une brusque poussée d'adrénaline tira Nick de sa stupeur. Il n'avait pas conduit depuis six ans et mesurait seulement maintenant à quel point cela lui avait manqué.

Winkie coupa le moteur et lança une corde à Nick en criant :

— Attrape ! Il faut amener le bateau le plus près possible de la berge.

Il sauta ensuite dans l'eau et alla aider Nick à tirer sur la corde. A eux deux, ils parvinrent à rapprocher l'embarcation de quelques mètres, puis Winkie remonta à bord et installa deux rampes métalliques entre le pont et la terre ferme. Nick était de plus en plus excité : dans deux minutes, il y aurait une voiture à Thorne Island !

— Non, mais ça ne va pas ? hurla soudain une voix, derrière lui. Vous n'avez donc pas entendu un mot de ce que je viens de vous dire ?

C'était Brody, et si Nick avait bien entendu quelqu'un parler, il n'y avait prêté aucune attention.

— Calme-toi ! ordonna-t-il en se retournant. Ce n'est qu'une petite Volkswagen. Il n'y a pas de quoi en faire toute une histoire.

— Si, parce que cette « petite Volkswagen » va nous casser les oreilles du matin au soir ! Et nous n'en avons pas besoin : nous avons la voiturette de golf.

— J'en ai besoin, moi ! objecta Sara depuis le bateau. La présence d'une voiture sur l'île vous ennuie peut-être, monsieur Brody, mais vous ne pouvez vous en prendre qu'à vous-même !

Brody la fusilla du regard.

— Comment cela ? s'exclama-t-il.

— Elle n'a pas tort, intervint Nick. Si tu l'avais laissée se servir de ta voiturette, avant-hier…

— Dans quel camp es-tu ? lui lança Brody.

En cet instant précis, Nick prêchait pour sa paroisse, celle d'un homme qui brûlait de retrouver le plaisir de conduire. Il se voyait déjà jouer les pilotes de rallye sur les chemins étroits et sinueux de Thorne Island.

— Je ne suis dans le camp de personne, déclara-t-il hypocritement, et les faits sont là : cette île appartient à Mlle Crawford, et elle a donc le droit de s'y déplacer en utilisant le moyen de locomotion de son choix.

— Merci, monsieur Bass ! dit Sara en ouvrant la portière de la Coccinelle et en s'installant à la place du conducteur. A présent, si vous voulez bien vous écarter, tous les deux…

Gina, qui avait observé toute la scène d'un air amusé, donna un coup de coude à Brody et remarqua :

— J'ai toujours adoré les Coccinelle. Elles sont aussi mignonnes que les vraies.

— Ah ! les femmes ! maugréa Brody.

Puis il tourna les talons et s'éloigna sans cesser de grommeler entre ses dents.

La Volkswagen démarra et se mit à rouler lentement sur le pont, guidée par Winkie. Après moult manœuvres, les roues avant se trouvèrent exactement dans l'axe des rampes, et la petite voiture effectua sans encombre la dernière partie de son voyage.

— Je vous avais bien dit qu'il n'y aurait pas de problème, mademoiselle Crawford ! s'écria Winkie, le visage couvert de sueur mais l'air triomphant. Il faut maintenant débarquer le reste de votre chargement, pour qu'on puisse partir, Gina et moi. Je dois ramener la péniche avant la tombée de la nuit.

Nick fut effaré par le nombre de caisses, de sacs et de cartons qu'il descendit du bateau avec Winkie et Sara.

— Vous avez réussi à faire tenir toutes ces affaires dans la Coccinelle ? demanda-t-il à la jeune femme une fois l'opération terminée.

— Bien sûr que non ! Elles étaient dans une camionnette qui m'a suivie jusqu'au ferry.

L'arrivée sur l'île d'une foule d'objets sans doute inutiles n'enchantait pas Nick, mais cette contrariété était largement compensée par la perspective excitante d'avoir de nouveau un volant entre les mains.

Tous les hommes de Thorne Island — sauf Brody, naturellement — aidèrent Sara à transporter ses achats au Cozy Cove. Ryan et Dexter s'étaient montrés intéressés par la Coccinelle, mais la jeune femme avait tout de suite vu que Nick, lui, brûlait littéralement de la conduire. Elle lui refusa cependant ce plaisir. Elle ne se sentait pas spécialement bien disposée à son égard après la nuit qu'il avait passée avec sa coiffeuse.

Après le départ des deux autres hommes, elle pensait que Nick monterait dans sa chambre, mais au lieu de cela, il s'assit dans un fauteuil de la véranda et poussa du pied l'un des cartons en demandant :

— Qu'est-ce qu'il y a là-dedans ?

— Des accessoires de salle de bains, il me semble, répondit Sara.

— Vous avez dévalisé combien de magasins, pour revenir avec un tel chargement ?

— Un seul, et le directeur était si content de ma visite qu'il m'a offert le champagne.

— Ça ne m'étonne pas, mais pourquoi avez-vous acheté autant de choses ?

— Parce qu'un hôtel digne de ce nom ne fait pas manger ses clients dans des assiettes en plastique et ne les oblige pas à utiliser des serviettes élimées qui ont probablement servi à nettoyer du matériel de pêche.

Alors qu'elle s'attendait à une explosion de colère, Nick se contenta de hausser les épaules.

— L'hygiène et la sécurité des lieux publics sont très réglementées, observa-t-il, et le Cozy Cove n'est donc pas près de rouvrir : il vous faudra beaucoup de temps pour le mettre aux normes. Et si vous décidez d'y accueillir des clients sans l'accord des autorités compétentes, non seulement vous risquez une grosse amende, mais vous serez aussi responsable en cas d'accident.

Sara comprenait maintenant pourquoi Nick était resté si calme en l'entendant évoquer de nouveau ses projets : il croyait avoir trouvé l'argument qui l'en détournerait de façon définitive. Le moment était venu de l'informer de ses démarches de l'après-midi à Sandusky.

— Il n'est évidemment pas question de rouvrir l'hôtel sans avoir auparavant effectué toutes les rénovations nécessaires, souligna-t-elle, mais cela prendra moins de temps que vous ne le pensez.

— Vous n'avez pas l'air de vous rendre compte de l'ampleur du chantier. L'électricité date de cinquante ans au moins, certaines des planches de cette véranda sont complètement pourries, il y a des fuites dans le toit...

— Je sais tout ça ! Et c'est la raison pour laquelle j'ai engagé des ouvriers. Les travaux débuteront après-demain.

Nick était en colère, cette fois. Tellement en colère, même, qu'il n'arrivait pas à parler. Il se leva et s'approcha de Sara, le visage menaçant.

— Calmez-vous ! dit-elle en levant la main dans un geste mi-défensif, mi-apaisant. Dois-je vous rappeler qu'étant ici chez moi, j'ai le droit d'y inviter qui je veux, quand je veux et pour y faire ce que je veux ?

— Si je comprends bien Mlle l'Expert-comptable, déclara Nick d'une voix sourde, mes amis et moi allons voir débarquer dans deux jours sur l'île où nous vivons depuis six ans une armée d'électriciens, de menuisers, de... de...

La voix lui manqua, comme si la fureur l'étouffait de nouveau, et Sara termina l'énumération à sa place :

— De couvreurs, de peintres et de tapissiers, oui, mais personne ne vous oblige à partir. Ma tante vous a accordé un bail de vingt-cinq ans, et je respecterai sa volonté.

— Peut-être, mais nous ne serons plus ici chez nous. Et après avoir été envahie par tous les corps de métiers possibles et imaginables, Thorne Island le sera par des vacanciers qui apporteront avec eux leurs transistors, leurs ballons de plage et leurs crèmes à bronzer nauséabondes... Vous allez nous tuer à petit feu, Sara. Vous avez même déjà commencé.

En reprenant sa marche, qu'il avait un instant interrompue, Nick posa le pied sur l'une des planches pourries dont il avait parlé quelques minutes plus tôt, et elle céda sous son poids. Un cri de surprise et de douleur mêlées lui échappa : sa jambe droite s'était enfoncée jusqu'à mi-cuisse dans la cavité qui séparait le sol du plancher de la véranda.

— Attendez, je vais vous aider ! s'exclama la jeune femme en se précipitant vers lui.

Un bras passé sous l'épaule de Nick et l'autre autour de sa taille, elle tira pendant que, s'appuyant sur elle, il essayait de dégager sa jambe. Son visage livide et crispé indiquait que ces efforts augmentaient la douleur, mais il parvint finalement à s'extraire du trou.

— Si vous voulez mon avis, dit Sara, ce qui...

— Votre avis ne m'intéresse pas !

— ... ce qui risque de vous tuer, enchaîna-t-elle, et de façon brutale, c'est l'état de délabrement dans lequel vous avez laissé tomber cette maison. Vous avez de la chance de ne pas y avoir trouvé la mort, électrocuté ou assommé par la chute d'un morceau du toit.

Nick s'appuya plus lourdement sur elle et garda le silence. Sa jambe lui faisait sûrement encore mal, mais il avait repris des couleurs.

— De quoi avez-vous peur, d'ailleurs ? demanda Sara. Pourquoi la compagnie de vos semblables vous effraie-t-elle tous à ce point ?

— Elle ne nous effraie pas, répliqua-t-il. Nous n'en avons pas besoin, c'est tout.

— Je ne vous crois pas ! Vous m'avez dit vous-même que vous ne quittiez jamais Thorne Island plus de quelques heures à la suite, et uniquement quand vous y étiez contraint... Je suis certaine que vos trois amis sont dans le même cas, et si ce n'est pas la crainte du monde extérieur qui vous retient ici, qu'est-ce que c'est ?

— Le simple fait que nous nous y plaisons, et je vous préviens, Sara : quand les autres seront au courant de vos projets, ils vont pousser les hauts cris.

— Je suis prête à les affronter.

— Peut-être, mais rappelez-vous que je suis le seul à vous trouver assez jolie pour vous témoigner un minimum d'indulgence.

Tout en parlant, Nick s'était écarté de Sara. Il semblait moins souffrir, et un petit sourire flottait même sur ses lèvres. Ses cheveux bien coupés mettaient en valeur ses traits énergiques... Gina Sacco était une excellente coiffeuse, il fallait au moins lui reconnaître ce mérite.

— Même Ryan, que vous considérez comme le meilleur d'entre nous, ne vous pardonnera jamais de vouloir attirer des touristes ici, continua Nick. L'idée de remettre les vignes en culture le séduit, parce qu'il s'en est déjà un peu occupé et qu'il peut le faire seul, mais...

Le son de sa voix parvenait de plus en plus faiblement aux oreilles de Sara. Une puissante vague de désir était en train de se répandre en elle, et elle ne percevait plus soudain que le visage de Nick, la chaleur de son corps tout proche, le mouvement de ses lèvres... Mon Dieu !

Elle allait l'embrasser ! Elle sentait son buste s'incliner insensiblement vers lui, comme attiré par un aimant invisible.

Une bribe de phrase se fraya un chemin jusqu'à sa conscience :

— ... et je me demande comment je vais faire pour qu'ils ne vous...

Puis une autre :

— ... et vous avez donc intérêt à bien réfléchir, avant qu'il ne soit trop tard.

Ces mots tirèrent la jeune femme de l'état quasi hypnotique dans lequel elle était plongée. Même si le conseil que Nick venait de lui donner concernait un autre sujet, il s'appliquait parfaitement à la situation présente : elle ne devait pas céder à son désir sans en peser d'abord toutes les conséquences. Et ces conséquences étaient aussi désastreuses que prévisibles : si elle prenait l'initiative d'embrasser Nick, il cesserait d'être un adversaire à ses yeux, et sa volonté de réaliser ses projets coûte que coûte s'en trouverait diminuée.

— C'est tout réfléchi ! lança-t-elle en reculant de plusieurs pas. Les travaux commenceront vendredi comme prévu. Je vais transformer cette île en petit paradis, et rien ni personne ne pourra m'en empêcher.

9.

Nick se retourna dans son lit, et ce simple mouvement lui arracha un gémissement de douleur. Son réveil indiquait 7 h 30. Le matin étant le moment de la journée où il était le plus productif, il se levait plus tôt d'habitude, mais la nuit pratiquement blanche qu'il venait de passer l'avait épuisé : dire qu'il était resté des heures les yeux fixés sur le plafond, à ruminer sa colère contre Sara...

Cette femme était vraiment exaspérante ! Il avait pris un malin plaisir à lui décrire la multitude de travaux nécessaires pour rouvrir le Cozy Cove, mais cela ne l'avait nullement découragée. Elle y avait même pensé avant lui, et la maison allait dès le lendemain être envahie par une horde d'ouvriers... Sans compter que ce stupide accident, sous la véranda, lui donnait en partie raison : certaines réparations avaient un caractère d'urgence.

Evitant tout geste brusque, Nick approcha ses jambes du bord du matelas, mais ces précautions ne suffirent pas : une douleur fulgurante lui transperça la cuisse droite et remonta jusqu'au creux de ses reins. Il se redressa pour masser sa cheville, puis posa doucement le pied par terre. S'il ne voulait pas que Dexter s'aperçoive de quelque chose et double la durée de ses séances d'exercices, il allait devoir faire très attention.

Son genou droit fléchit sous son poids quand il se leva, et il jura entre ses dents. Cette journée promettait d'être l'une des pires qu'il eût connues depuis longtemps. Après des mois d'hôpital et de rééducation intensive, il avait retrouvé l'usage de sa jambe, mais une légère claudication et une cicatrice de la taille d'une pièce de monnaie n'étaient pas les seules séquelles de sa blessure : tout faux mouvement, tout effort physique prolongé réveillait la douleur. Quant à une chute comme celle de la veille...

— Arrête de te plaindre et marche, Romano ! grommela Nick en se dirigeant tant bien que mal vers la porte.

Aucun bruit ne venait de la chambre de Sara, heureusement car il n'avait pas du tout envie qu'elle le voie dans cet état. Elle dormait encore, ce qui n'avait rien d'étonnant dans la mesure où il l'avait entendue s'agiter dans la maison jusqu'à plus de minuit.

Le couloir portait la trace de cette débauche d'énergie : il était encombré de rouleaux de papier peint et de reproductions de gravures anciennes sans doute destinées à orner les murs une fois les travaux terminés. Le fait que Sara ait monté seule toutes ces affaires, du rez-de-chaussée au premier étage en disait long sur sa détermination.

Et elle ne s'était pas arrêtée là, constata Nick en entrant dans la salle de bains : elle avait entièrement décoré la pièce dans des tons de gris et de pêche, avec des serviettes, un tapis de bain et des rideaux assortis... Des rideaux ! Comme si c'était utile pour une fenêtre située à trois mètres du sol ! Deux porte-savons gris posés de chaque côté du lavabo étaient remplis de petits savons qui avaient tout de la pêche : la forme, la couleur et l'odeur. Bien qu'il fût de fort méchante humeur, Nick dut admettre que cette odeur était plutôt agréable.

Le porte-revues en acier chromé installé près du siège des toilettes et plein de magazines de luxe l'agaça en revanche prodigieusement. Avec une seule salle de bains pour tout l'étage, était-il vraiment nécessaire de donner aux gens une quelconque raison de s'y attarder ?

Nick parvint à regagner sa chambre sans incident. Après avoir mis un short et un T-shirt, il descendit dans la cuisine. De nouvelles surprises l'y attendaient : des poêles et des casseroles flambant neuves avaient remplacé les vieux ustensiles rouillés qu'il y avait toujours vus, et la grande table de chêne était recouverte d'une nappe imprimée de fleurs bleues. Il n'osa ouvrir aucun tiroir de peur d'y trouver des objets dont il ignorerait et le nom et l'usage. Et Sara avait, là aussi, installé des rideaux !

Que craignait-elle donc ? se demanda Nick en remplissant la cafetière. Qu'un voyeur la surprenne un soir en train de faire la cuisine en petite tenue ? Ce n'était sûrement pas son genre, et cette pensée l'amusa d'autant plus.

Quand le café fut prêt, il s'en servit une tasse et alla s'asseoir sur la terrasse du jardin. Il avait plu pendant la nuit, et l'air sentait bon la terre mouillée, tandis que les gouttes retenues par les feuilles des arbres tombaient sur le sol avec un petit bruit doux et régulier.

Le printemps était la saison préférée de Nick. Les étés de Thorne Island étaient trop humides, et les hivers si froids qu'il se réveillait tous les matins avec une jambe droite complètement ankylosée.

Mais dans l'ensemble, ses conditions de vie sur l'île le satisfaisaient, et elle ne lui servait pas de refuge contre le monde extérieur, comme Sara l'avait prétendu. C'était peut-être vrai pour les autres, en revanche. Ryan, par exemple, n'était allé que trois fois à Put-in-Bay depuis son installation à Thorne Island, et seulement parce que des rages de dents insupportables l'y avaient obligé. Ses angoisses étaient cependant compréhensibles : les deux terribles injustices dont il avait été victime — la seconde lui ayant valu dix-huit mois de prison — l'avaient rendu d'une méfiance maladive envers ses semblables.

Et il était possible que Dexter ait peur, lui aussi. Peur d'être reconnu. A juste titre, d'ailleurs, car cela lui était arrivé la seule fois où il s'était aventuré à Sandusky, poussé par la nécessité de trouver un magasin spécialisé dans les grandes tailles. Quelqu'un l'avait abordé dans la rue et lui avait parlé de la fin brutale de sa carrière. Dexter était autrefois l'une des stars des Cleveland Browns, et son visage était alors aussi familier aux habitants de l'Ohio que celui de James Brown. Mais en 1996, son contrat n'avait pas été renouvelé, et aucune autre équipe n'avait voulu de lui. Il était soi-disant trop vieux — « fini », comme les journaux sportifs de l'époque l'avaient proclamé.

— Quel gâchis ! murmura Nick, se rappelant l'homme brisé qu'il avait accueilli sur l'île, quelques années plus tôt.

Dexter allait mieux, maintenant, mais Sara avait tout de même raison : c'était la crainte d'une société trop prompte à brûler ce qu'elle avait adoré qui l'empêchait de retourner y vivre.

Et à bien y réfléchir, Brody avait sans doute peur de son fils. Matthew avait certes des torts, mais Nick savait qu'il aimait profondément son père, et celui-ci s'en rendrait compte aussi si seulement il acceptait de lui parler. Peut-être en avait-il envie, en fait, mais craignait-il de découvrir alors qu'en refusant pendant si longtemps de pardonner à son fils, il se l'était définitivement aliéné.

Ce tour d'horizon terminé, Nick dut admettre que Sara avait vu juste — sauf en ce qui le concernait, lui, et même si l'honnêteté l'obligeait à reconnaître que Thorne Island lui était apparue au début comme un havre de paix dans la tempête qui venait de secouer son existence. Il avait eu besoin de passer quelque temps loin de tout, pour finir de se remettre de sa blessure et faire le point. Il voulait changer de métier — sa vie lui importait plus qu'aucune affaire, si intéressante fût-elle —, et faute d'avoir encore pris une décision à ce sujet, il était toujours sur l'île.

Diverses obligations l'avaient amené à se rendre à Sandusky, pendant ces six années, mais il était chaque fois revenu dans la journée. Non pour s'y cacher, mais par goût : il s'y plaisait, point final.

Rassuré, car il avait un moment eu peur que son introspection ne le conduise à se poser des questions dérangeantes, Nick regagna la cuisine, avala un bol de corn-flakes et remonta ensuite au premier étage. La porte de la chambre de Sara était entrouverte, et un bruit de voix s'en échappait. A qui pouvait-elle bien parler ? se demanda Nick. Ryan aurait-il passé la nuit avec elle ? Ou Dexter ? Non, c'était impossible...

Une vague de soulagement ne l'en submergea pas moins lorsqu'il comprit qu'elle était au téléphone. Elle avait dû s'acheter un portable, la veille... Et tout en se disant qu'il commettait là une grave indiscrétion, Nick s'approcha de la porte à pas de loup.

Sara écarta de sa main libre une mèche de cheveux rebelle, puis tambourina impatiemment sur la table de chevet. Elle avait l'AFCO en ligne et, après avoir eu successivement la réceptionniste et la femme de ménage, elle attendait que sa secrétaire se décide à répondre. Candy lui avait promis d'arriver tous les matins à l'heure, cette semaine, et il était 8 h 35.

Une voix essoufflée retentit enfin dans l'écouteur :

— Bureau de Mlle Crawford... Candy Applebaum, à l'appareil. Vous désirez ?

— Candy ? C'est moi.

— Sara ! Comment allez-vous ?

— Très bien, et vous ? Pas de problème avec le patron ?

— Au contraire ! J'ai découvert que M. Bosch avait des perruches, lui aussi, et nous nous donnons mutuellement des conseils sur la façon de les nourrir, de les...

— J'en suis ravie, et puisque tout se passe si bien, j'ai encore moins de scrupules à vous annoncer que je compte rester une semaine de plus dans l'Ohio.

— Cleveland est une ville si agréable ?

— Je ne suis pas à Cleveland, mais sur une île dont...

— Oh ! il faut que je vous dise... Vous n'allez pas le croire !

Redoutant d'entendre une nouvelle qui l'obligerait à rentrer tout de suite à Fort Lauderdale, Sara s'écria :

— Quoi ? Qu'est-il arrivé ?

— M. Papalardo vous est si reconnaissant...

— Il peut l'être !

— Oui, vous avez accompli un vrai tour de force en remplissant sa déclaration de revenus dans les délais. Toujours est-il qu'il téléphone chaque matin pour demander quelle sorte de pizza vous voulez pour le déjeuner. C'est gratuit, et il envoie un de ses employés la livrer. J'en commande une différente chaque fois, mais toujours avec un supplément d'anchois.

— Je déteste les anchois !

— Je le sais, mais M. Papalardo l'ignore, lui, et comme ce n'est pas vous qui les mangez, tout le monde est content !

Sara éclata de rire. Candy n'était pas une secrétaire parfaite, mais elle avait le sens de l'humour.

— Ainsi, vous êtes au régime pizza ?

— Oui, et j'ai déjà pris deux kilos. Je suis monstrueuse !

— Même avec cinq kilos de plus, vous seriez encore mince comme un fil, mais si votre ligne vous préoccupe tant, annoncez aujourd'hui à M. Papalardo que je veux juste une salade verte avec une sauce vinaigrette allégée.

— Il ne me croira pas : vous m'obligez tous les après-midi à l'appeler pour lui dire que vous êtes devenue accro à ses pizzas.

— Vous me manquez, Candy, mais passons aux choses sérieuses, maintenant ! Je vais vous donner mon nouveau numéro de portable, pour que vous puissiez me joindre si vous avez le moindre problème au bureau. Expliquez à M. Bosch qu'une affaire me force à prolonger mon séjour dans l'Ohio, mais que je reste en contact avec vous.

— Une affaire ? Et moi qui espérais que vous preniez du bon temps !

— C'est le cas, et en plus, j'ai rencontré un...

— Désolée, mais il faut que je vous quitte : M. Bosch se dirige vers mon bureau. Je note votre numéro de portable et je vous rappelle plus tard, d'accord ?

— D'accord.

Après avoir raccroché, Sara alla prendre des vêtements propres dans la penderie, et elle l'avait à peine refermée que son bon sens habituel lui revint. Avait-elle vraiment failli dire à Candy que... Que quoi ? Qu'elle avait rencontré un homme sexiste, coléreux, grossier, mais qui l'attirait malgré tout irrésistiblement ?

L'arrivée de M. Bosch lui avait heureusement évité de parler d'une situation qu'elle ne comprenait pas elle-même, songea la jeune femme, soulagée, en quittant sa chambre pour se rendre dans la salle de bains.

La porte s'ouvrit au moment où elle l'atteignait, et Nick Bass apparut, mais au lieu de sortir de la pièce, il s'appuya au chambranle, croisa les bras et déclara avec un grand sourire :

— Bonjour, mademoiselle Crawford ! Belle journée, n'est-ce pas ?

— Il ne pleut plus, en effet, mais le ciel est encore couvert.

— Exact, mais j'ai à vous annoncer une nouvelle qui sera comme un rayon de soleil dans votre vie : j'ai décidé de ne pas vous poursuivre en justice pour la chute que j'ai faite hier à cause de cette planche pourrie.

— Vous êtes trop bon, monsieur Bass !

Les yeux de Nick brillaient de malice, et Sara se dépêcha de baisser les siens. La dernière chose dont elle avait besoin ce matin, c'était de le trouver sympathique.

— Vous avez terminé dans la salle de bains ? demanda-t-elle.

— Je ne sais pas. C'est devenu un endroit si accueillant que je suis tenté d'y passer encore quelques heures.

— Arrêtez de vous moquer de moi et poussez-vous ! Je suis pressée de me doucher.

— Dites-moi d'abord avec qui vous parliez, à l'instant… Vous aviez de la visite ?

— Bien sûr que non ! J'appelais juste ma secrétaire pour lui communiquer mon numéro de portable. Je ne reçois pas la nuit dans ma chambre, contrairement à d'autres.

Cette remarque arracha un petit sursaut à Nick et, contente de l'avoir déstabilisé, la jeune femme continua :

— Comment savez-vous que je parlais avec quelqu'un, d'ailleurs ?

— Vous ne vouliez pas être entendue ?

— Evidemment !

— Alors, la prochaine fois que vous téléphonerez, fermez votre porte ! La tentation est trop forte, sinon, d'essayer de découvrir quelles autres surprises vous me réservez. Le fait de payer un loyer me donne des droits dans cette maison, et les changements que vous y apportez me touchent directement. Hier, vous avez engagé des ouvriers, ce matin, je ne reconnais plus la salle de bains... Vous ne pouvez pas me reprocher de tenter, si l'occasion s'en présente, d'apprendre ce que vous avez encore inventé.

Cet homme aurait fait damner un saint, mais curieusement, plus il irritait Sara, plus les autres émotions qu'il éveillait en elle s'intensifiaient, si bien qu'en cet instant précis, elle avait autant envie de le gifler que de l'embrasser.

— C'est noté : à l'avenir, je fermerai ma porte quand je voudrai téléphoner, se borna-t-elle cependant à déclarer.

Nick s'écarta et, d'un grand geste du bras, invita la jeune femme à entrer dans la salle de bains.

— Merci, dit-elle en passant devant lui d'un pas digne.

— Ah ! deux choses, encore... Primo, conseillez de ma part à Candy d'arrêter la pizza, et secundo, sachez que j'ai dormi seul, mardi dernier.

*
* *

Ryan franchit le seuil de l'intendance, alla laver à l'évier ses mains couvertes de terre humide, puis demanda en prenant la bière que Nick lui tendait :

— Que se passe-t-il ?

— Oui, Nick, pourquoi as-tu convoqué cette réunion d'urgence ? renchérit Brody.

— Et elle a intérêt à être courte ! décréta Dexter. ESPN rediffuse dans une demi-heure l'un des plus grands matchs de l'histoire du football américain.

— Et moi, il faut que je retourne vite dans les vignes, indiqua Ryan. La pluie de cette nuit a ramolli le sol, et c'est le moment idéal pour ajouter de l'engrais.

— Et moi, je dois appeler Winkie pour lui commander des vivres, sinon nous allons mourir de faim, annonça Brody.

— D'accord, d'accord ! s'écria Nick. Vous êtes tous très occupés, mais quand vous aurez entendu ce que j'ai à vous dire, vous ne regretterez pas de m'avoir accordé un peu de votre précieux temps.

Trois paires d'yeux interrogateurs se posèrent sur lui.

— Tu m'inquiètes, déclara Ryan. Il y a un problème ?

— Oui. Notre nouvelle propriétaire…

— Qu'a-t-elle encore fait, celle-là ? coupa Brody en donnant un coup de poing sur la table. J'aurais dû me douter que c'était elle la cause de cette réunion !

— Notre nouvelle propriétaire, donc, enchaîna Nick, a décidé de réhabiliter le Cozy Cove, et toute l'île avec.

— Pourquoi ? demanda Brody. Elle ne compte tout de même pas s'installer ici ?

— Non, mais je pense qu'elle va rester encore une semaine au moins. Elle s'est mis dans la tête de transformer Thorne Island en lieu de villégiature.

Brody poussa une bordée de jurons tandis que Ryan observait :

— Elle en a le droit ?

— Evidemment, répondit Nick. Cette île lui appartient.

— Elle veut nous chasser, remarqua sombrement Dexter.

— Non, elle m'a bien précisé que ce n'était pas son intention, expliqua Nick. Nous devons cependant nous attendre à ce que le Cozy Cove accueille un jour des clients, et nous sommes dès maintenant menacés d'une première invasion : Sara a engagé des ouvriers pour rénover l'hôtel, et ils arrivent demain.

— Demain ! s'exclamèrent ses trois compagnons d'une même voix.

— Oui.

— Et… et si l'un d'eux me reconnaît, bredouilla Dexter, qu'est-ce que je lui dirai ?

— Que tu es content de voir que les gens se souviennent encore de toi, tout simplement, lui conseilla Nick.

— Moi, je ne supporterai pas la présence de tous ces étrangers sur l'île, annonça Ryan. Je sais que je peux avoir confiance en vous, les gars, et je commençais à me sentir à l'aise avec Sara, mais là…

— Même si tu as tort de penser que le monde entier est contre toi, remarqua Nick, rien ne t'oblige à passer tes journées en compagnie de ces ouvriers.

Un nouveau coup de poing de Brody sur la table fit sursauter tout le monde.

— Non, mais tu t'entends, Nick ? s'écria-t-il. Tu es en train de défendre cette Sara Crawford et son stupide projet de transformer notre île en club de vacances ! Ryan et Dexter ont de bonnes raisons d'être en colère. Je le suis, moi aussi !

— Ça ne change pas beaucoup de l'habitude, observa Nick.

Puis il alla se poster devant la fenêtre pour essayer de réfléchir. Il devait y avoir un moyen de contrecarrer les plans de Sara… Une idée finit par lui venir ; elle ne réglait pas le problème de fond, mais faute d'en trouver une meilleure, elle permettrait au moins de gagner du temps.

— J'ai quelque chose à vous proposer, annonça-t-il en se retournant.

— A savoir ? lui lança Brody d'un ton hargneux.

— Faisons les travaux nous-mêmes.

Ses trois compagnons le fixèrent d'un air incrédule.

— C'est la seule façon d'éviter qu'une armée d'ouvriers débarque ici demain, expliqua-t-il.

Après un nouveau silence, Ryan déclara en hochant la tête :

— Oui, tu as raison, et il se trouve justement que je m'y connais en menuiserie : j'ai souvent dû remplacer des planches pourries dans les box, et réparer des mangeoires rongées par les chevaux.

— Parfait ! s'exclama Nick.

— Et moi, j'ai repeint toute ma maison, autrefois, indiqua Dexter. Ce n'est pas très difficile.

— Peut-être, mais pour l'électricité et la toiture, il faut de vrais spécialistes, objecta Brody, et si nous ne pouvons pas tout faire nous-mêmes, autant ne rien faire, puisque des étrangers viendront de toute façon troubler notre tranquillité.

— Désolé de te contredire, susurra Nick, mais j'ai appris dans ma jeunesse tous les secrets du métier de couvreur. Je montais sur le toit de la maison familiale avec les ouvriers chaque fois qu'il y avait une fuite ou des tuiles à changer. Quant à l'électricité, c'est ton rayon, non ?

— Où es-tu allé chercher ça ?

— Tu oublies que tu m'as raconté ton histoire, un jour où quelques bières de trop t'avaient mis en veine de confidences... Je sais donc que tu as un C.A.P. d'électricien.

La mine déconfite de Brody déclencha l'hilarité de Ryan et de Dexter.

— Alors, nous offrons nos services à Sara, ou pas ? reprit Nick.

— A quoi bon ? Elle refusera, grommela Brody dans une dernière tentative pour le contrer.

— Moi, je pense au contraire qu'elle sautera sur cette occasion de réduire ses dépenses. Je la vois déjà calculer dans sa petite tête d'expert-comptable l'argent que nous lui permettrons ainsi d'économiser.

— Plus longtemps nous resterons ici entre nous, mieux je me porterai, et je vote donc pour ! annonça Dexter.

— Moi aussi, déclara Ryan.

Trois têtes se tournèrent ensuite vers Brody qui, au bout d'un moment, bougonna :

— Bon, d'accord, je me range à l'avis de la majorité, mais ne comptez pas sur moi pour aller négocier avec cette femme !

— Même si tu avais été volontaire, je m'y serais opposé, indiqua Nick. C'est moi qui vais m'en charger, et tout de suite. .. Sara est dans les vignes, Ryan ?

— Elle y était quand j'en suis parti.

Nick se dirigea vers la porte, mais il s'arrêta en chemin et se retourna pour remarquer :

— C'est un mal pour un bien, finalement. Nous avons tendance à nous encroûter, et quelques jours de travail physique nous seront très profitables.

— Parle pour toi ! répliqua Brody. Et avant que tu ne t'en ailles, faisons cette liste d'épicerie...

Sortant un crayon et une feuille de papier d'un tiroir, il demanda :

— Corn-flakes, d'accord ?

Ryan et Dexter acquiescèrent de la tête, mais Nick, lui, objecta :

— Non, nous mangeons toujours la même chose, et c'est un autre exemple de ce que je disais à l'instant : nous menons une vie trop routinière. Le marché des céréales ne se limite pas aux corn-flakes, que je sache !

Un silence stupéfait accueillit ces paroles, puis Ryan observa timidement :

— J'aimais bien les Rice Crispies, autrefois.

— Parfait ! s'écria Nick. Ecris, Brody : Rice Crispies ! Et ajoute « légumes frais », tant que tu y es. J'en ai assez des pâtes et des haricots en conserve.

Brody marmonna une phrase incompréhensible, mais sur un ton qui permettait d'en saisir l'esprit.

— Arrête de ronchonner ! lui lança Nick. Commander des provisions, ce n'est pas difficile. Moi, je dois persuader notre propriétaire que nous désirons sincèrement l'aider, et ça, c'est une vraie gageure !

10.

A genoux entre deux rangs de vignes, Sara prit une poignée de gravier dans la brouette et l'étala autour d'un cep. Sa matinée de travail l'avait convaincue d'une chose : le guide de la Napa Valley qui avait qualifié de facile l'émiettage des mottes de terre à la main ne savait pas de quoi il parlait. Sara avait affreusement mal au dos, le bras droit endolori à force de manier la binette, et une telle épaisseur de boue recouvrait ses gants de jardinage qu'elle doutait de jamais pouvoir les en débarrasser. Il lui suffisait cependant de poser les yeux sur les petits grains vert clair d'une jeune grappe pour se dire que le jeu en valait la chandelle : le vignoble de Thorne Island allait produire sa meilleure récolte depuis des années, et ce n'était qu'un début…

— Les gens essaient généralement d'enlever les cailloux des terres à cultiver, mais vous, vous en rajoutez !

La voix de Nick tira la jeune femme de ses pensées. Elle s'assit sur ses talons et leva la tête vers lui.

— Vous n'y connaissez rien, monsieur Bass ! s'écria-t-elle. Ce gravier agit comme un drain. Si les racines des vignes reçoivent trop d'eau, elles pourrissent.

Obtenant pour seul commentaire un haussement d'épaules indifférent, elle se remit au travail et demanda :

— Où est Ryan ? Qu'avez-vous fait de lui ?

— Vous avez peur que je ne l'aie séquestré pour l'empêcher de vous aider ?

— Avec vous, je m'attends toujours au pire, alors répondez-moi : où est Ryan ? Il est parti avec le sécateur, et j'en ai besoin.

— C'est ça que vous voulez ? dit Nick en sortant un objet de la poche arrière de son short.

— Oui.

Sara prit l'outil et coupa plusieurs sarments du cep dont elle était en train de s'occuper avant de déclarer :

— Ryan ne compte pas revenir aujourd'hui ?

— Si, mais seulement après la conversation que je dois avoir avec vous. Les disputes l'effraient encore plus que la compagnie d'inconnus.

— Pour prévoir une dispute, vous avez sûrement l'intention de me reparler des travaux, alors inutile de vous fatiguer : je ne changerai pas d'avis.

— Je le sais, et si c'est bien de la rénovation de l'hôtel que je suis venu vous entretenir, mon but n'est pas de vous convaincre d'y renoncer... Il y a un banc, en bas du coteau... Si nous allions nous y installer ?

L'idée de s'asseoir était trop tentante ! Sara se releva, enleva ses gants et les posa sur le rebord de la brouette. Suivie de Nick, elle se dirigea vers le banc et poussa un petit soupir de bien-être quand elle s'y fut confortablement calée.

— Alors, qu'avez-vous à me dire ? demanda-t-elle ensuite.

— J'ai mis les autres au courant de vos projets.

— Et ?

— Ils ont aussi mal réagi que je l'avais prévu. Vous aviez raison, hier : c'est la crainte du monde extérieur qui les retient ici.

— Eux, mais pas vous ?

— Non. Moi, je vis à Thorne Island parce que je m'y plais, c'est tout.

— Admettons... Ryan, Dexter et Brody ont donc des problèmes d'insertion dans la société, mais je ne vois pas comment le fait de se cacher sur cette île les aidera à les résoudre. Je ne vois pas non plus pourquoi mes projets les effraient tant : ce n'est pas comme si je voulais les chasser de chez eux.

— Non, mais après des années de complet isolement, l'arrivée de ces ouvriers dès demain constitue pour eux un changement trop brutal.

— Je n'ai pourtant pas le choix. La réparation du toit et la réfection de l'électricité n'entrent pas dans mes compétences. Je pourrais peindre et poser les papiers peints moi-même, mais là, c'est le temps qui...

— J'ai une proposition à vous faire, coupa Nick.

Sara le considéra d'un air d'autant plus méfiant qu'il arborait un sourire charmeur. Il lui rappelait le loup du conte en train d'enjôler le Petit Chaperon rouge pour mieux le croquer ensuite.

— Je vous écoute, dit-elle.

— C'est nous qui allons nous charger des travaux.

Cette déclaration laissa la jeune femme sans voix. Les hommes de Thorne Island étaient peut-être passés maîtres dans l'art de creuser des trous, mais la rénovation du Cozy Cove exigeait l'intervention de spécialistes, pas de chercheurs de trésors qui n'étaient même pas capables de mener leurs fouilles avec méthode et sérieux !

Contenant à grand-peine une forte envie de rire, Sara observa :

— Vous croyez réellement que je vais confier la mise aux normes de l'hôtel à un clochard milliardaire, un ancien footballeur, un jardinier amateur et vous, qui ne savez apparemment rien faire de vos dix doigts ?

— Si, je tape à la machine !

— C'est vrai, excusez-moi, mais ce talent ne vous sera d'aucune utilité pour effectuer les travaux que j'envisage. Et vos amis n'ont pas plus que vous les compétences requises.

— Vous vous trompez ! Chacun de nous s'y connaît dans un domaine particulier, si bien que nous couvrons à nous quatre presque tous les corps de métier. Si vous acceptez notre offre de services, je vous jure que vous n'aurez pas à le regretter.

Nick se tut et posa sur Sara un regard plein d'espoir. Il lui rappela cette fois un petit garçon attendant que sa mère l'autorise à aller jouer dehors avec ses camarades. Elle faillit se laisser attendrir, mais Nick était un adulte, se souvint-elle à temps, et elle n'avait aucune raison de lui céder.

— Désolée, monsieur Bass, mais c'est non.

— Pourquoi ?

— Parce que rien ne me prouve que vous êtes vraiment à la hauteur de la tâche.

— Je vous garantis que si, et même dans le cas improbable où notre travail ne satisferait pas aux normes de sécurité en vigueur, vous pourriez toujours le faire revoir par des professionnels.

— Pourquoi prendrais-je ce risque, alors qu'en engageant dès le départ lesdits professionnels, je suis certaine du résultat ? Ils ont des qualifications, eux, des références...

— Mais ils vous coûteront cher, tandis que nous, vous n'aurez pas à nous payer. Vous imaginez les économies que vous allez ainsi réaliser ? Et je vous répète que le travail sera bien fait.

Il y avait une telle conviction, une telle assurance dans la voix de Nick que Sara se sentit ébranlée. Elle croyait les hommes de Thorne Island incapables d'enfoncer un clou dans un mur sans se taper sur les doigts, mais si elle se trompait ? Si, au cours de leur vie passée, ils avaient acquis une réelle expérience dans telle ou telle activité manuelle ?

— Même si j'accepte votre offre, déclara-t-elle, ce sera reculer pour mieux sauter : Ryan, Dexter et Brody doivent comprendre que leur isolement ne durera pas éternellement. Un jour...

— Oui, mais pas demain, et c'est l'essentiel. Votre arrivée les a déjà perturbés, et celle d'une armada d'ouvriers juste après est plus qu'ils ne peuvent en supporter.

Une inquiétude qui paraissait sincère se lisait sur le visage de Nick et, cette fois, Sara n'eut pas le courage de le décevoir. La chaleur avec laquelle il défendait la cause de ses compagnons témoignait d'une générosité d'autant plus touchante qu'elle était inattendue.

— D'accord, vous êtes engagés, annonça-t-elle.

— Merci ! s'écria Nick. Vous êtes une femme selon mon cœur.

— Ne dites pas ça ! Cette seule idée me donne envie de plonger du haut de la jetée et de gagner Put-in-Bay à la nage.

— Elle vous effraie donc tellement ?

— Oui, comme un cauchemar dont on sait qu'il n'a aucune réalité, mais qui n'en fait pas moins peur.

Nick se rapprocha de Sara et lui posa la main sur l'épaule en observant :

— Elle n'a en effet aucune réalité : c'était juste une façon de parler. En fait, vous n'êtes pas du tout mon genre. Je préfère les rousses, et vous êtes en plus trop cérébrale pour moi.

Sa main descendit le long du bras de Sara, pour se refermer sur un poignet dont il caressa l'intérieur du bout du pouce. A en juger par le frisson qui la parcourut, c'était une zone érogène — elle l'ignorait jusque-là.

— Vous êtes aussi d'une minceur qui rend sûrement toutes vos amies jalouses, continua Nick, mais moi, j'aime les femmes bien en chair, qui savent apprécier la bonne cuisine et ne comptent pas les calories.

Sa voix s'était peu à peu adoucie, jusqu'à devenir un simple murmure, une sorte d'incantation qui agissait comme un sortilège sur les sens de Sara. Elle avait beau se dire qu'elle devait repousser Nick, son corps n'obéissait plus aux injonctions de son cerveau.

— Non, mademoiselle Crawford, vous n'êtes décidément pas mon genre, mais tant pis…

Sur ces mots, Nick se pencha vers Sara dans l'intention évidente de l'embrasser, et, loin de se détourner comme sa raison le lui ordonnait, elle lui tendit ses lèvres.

La volupté éprouvée lors de leurs deux premiers baisers n'était rien comparée au feu d'artifice de sensations que celui-ci fit jaillir en elle. Ce plaisir semblait partagé, et qui sait jusqu'où leur exaltation grandissante les aurait conduits si un bruit strident ne les avait soudain ramenés à la réalité.

— Qu'est-ce que c'est ? marmonna Nick en s'écartant de Sara.

— Mon… mon portable, balbutia-t-elle, encore désorientée. Il est dans ma poche.

— Quel besoin aviez-vous de l'emporter ? Laissez-le sonner !

— Non, c'est peut-être important.

La jeune femme prit le téléphone, et alors qu'elle s'attendait à entendre Candy, ce fut une voix d'homme qui retentit dans l'écouteur. Elle mit plusieurs secondes à la reconnaître, et la surprise lui fit alors dire plus fort qu'elle ne l'aurait voulu :

— Donald ?

Nick la fixa d'un air sombre, et elle se sentit obligée de lui expliquer, la main sur le haut-parleur :

— C'est un collègue de travail avec qui je sors plus ou moins.

— Je vais vous laisser, dans ce cas.

— Oui… Merci…

Plus gênée qu'il n'aurait été normal de l'être — Donald était à peine plus qu'un ami, et elle n'avait de toute façon aucun compte à rendre à Nick —, Sara enleva sa main du haut-parleur et déclara :

— Comment vas-tu, Donald ?

— Très bien ! Aruba est un véritable enchantement : la mer y est bleu turquoise, les plages immenses, et les autochtones superbes… Et toi, comment se passent tes vacances dans cet autre petit paradis qu'est le lac Erié ?

Le ton sarcastique de son correspondant irrita profondément la jeune femme, et elle se vengea en se lançant dans un récit détaillé de ses activités dont elle savait qu'il l'ennuierait à mourir.

Tout en parlant, elle suivit Nick des yeux. Il remontait le coteau, silhouette solitaire au milieu des vignes, et elle eut du mal à contenir l'élan qui la poussait à courir le rejoindre.

Une grosse averse obligea Sara à regagner l'hôtel peu après la fin de sa conversation avec Donald. Elle ne comprenait pas pourquoi il l'avait appelée. Pour la culpabiliser ? Pour la rendre jalouse ? Il n'avait réussi à faire ni l'un ni l'autre.

Elle s'essuya les cheveux avec une serviette, se prépara une tasse de thé, puis s'assit à la table de la cuisine et réfléchit à ce qui s'était passé avant le coup de téléphone de Donald. Il avait eu son numéro par Candy et n'aurait pu choisir meilleur moment pour couper court à une étreinte aux conséquences imprévisibles. C'était à croire qu'il en avait eu la prémonition!

Au souvenir du séisme que le baiser de Nick avait déclenché en elle, des frissons secouèrent Sara. Aucun homme avant lui n'avait eu un tel pouvoir sur ses sens, et elle était partagée entre la peur et le désir de céder de nouveau à son attirance pour lui.

Le plus sage, songea-t-elle, c'était de terminer le plus vite possible les travaux du Cozy Cove et de chasser ensuite Nick de son esprit. Thorne Island représentait un défi excitant, mais sa vie était à Fort Lauderdale, et non sur une île dont les occupants la considéraient comme une intruse. Il n'était pas question de quitter un emploi lucratif et de tout miser sur l'exploitation d'un hôtel et d'un vignoble qui mettraient peut-être des années à produire des bénéfices. L'idée était tentante, mais Sara avait assez de bon sens pour en mesurer les risques.

La pluie s'étant arrêtée, elle sortit s'asseoir sur la terrasse. La pureté et la fraîcheur de l'air, après cette giboulée de printemps, formaient un contraste saisissant avec la moiteur que laissaient derrière elles les averses tropicales de Floride. La nature tout entière semblait régénérée, et même les pissenlits, cauchemar des jardiniers, resplendissaient comme de petits soleils. Sara avait l'intention de les arracher, mais elle se promit en plus de les remplacer avant son départ par des parterres de fleurs. Elle imagina le jardin rempli de roses, d'iris et de dahlias...

Comme aucun bruit ne venait troubler sa rêverie, son esprit se mit à vagabonder, et d'autres idées lui vinrent pour embellir les abords du Cozy Cove. Si seulement elle pouvait rester plus longtemps sur l'île...

Les premières notes d'une vieille chanson de Frank Sinatra rompirent soudain le silence. La jeune femme ne l'avait pas entendue depuis des années et, comme envoûtée, elle se leva, rentra dans la maison, puis laissa la musique guider ses pas.

Nick vit soudain Sara s'encadrer dans la porte de sa chambre. Elle s'arrêta sur le seuil, l'air hésitant, ce qui ne lui était pas habituel. Avec ses cheveux et ses vêtements mouillés, elle semblait aussi plus fragile qu'à l'accoutumée, presque vulnérable.

— J'adore cette chanson, observa-t-elle.

— Vous, vous aimez les crooners ? Je ne l'aurais jamais cru !

— Je ne l'aurais pas dit de vous non plus.

— Nous sommes donc deux romantiques qui se cachent de l'être... J'ai des CD de Paul Anka... Je vous en mets un ?

— Non, ne vous dérangez pas, mais tant que je suis là, je voudrais vous parler de... de ce qui s'est passé tout à l'heure. C'était une situation un peu... gênante.

— Pourquoi ? Parce que j'étais en train d'embrasser la petite amie d'un certain Donald, qui s'est rappelé à son bon souvenir en l'appelant sur son portable ? La seule chose qui me gêne, là-dedans, c'est qu'il nous ait stoppés dans notre élan : il a dû sentir que nous allions faire ensemble ce qui est peut-être encore un simple fantasme pour lui... A moins que vous n'ayez l'habitude de courir deux lièvres à la fois ?

Comme Nick s'y attendait, Sara devint rouge de colère et s'écria d'une voix indignée :

— Ne soyez pas grossier ! D'une part, Donald n'est pas mon petit ami, et d'autre part, rien ne dit que... que...

— Que, sans ce coup de téléphone, ce baiser nous aurait menés beaucoup plus loin ? Vous savez bien que si !

— Peu importe ! L'essentiel, c'est que ce ne soit pas arrivé. Nous n'avons rien en commun...

— Si, nous aimons tous les deux Frank Sinatra.

— Cela ne nous empêche pas de nous disputer comme des chiffonniers depuis le début de mon séjour ici.

— Nous nous sommes embrassés presque autant de fois que nous nous sommes disputés... Pourquoi, à votre avis ?

— Je l'ignore.

— Vous mentez !

— Bon, admettons que, contre toute logique, nous éprouvions une attirance mutuelle. Il s'agit cependant d'un phénomène purement physique, dont il sera très facile de nous protéger à l'avenir : il nous suffira de garder nos distances l'un avec l'autre.

— Je ne vois pas comment ce sera possible alors que nous n'allons plus seulement dormir sous le même toit, mais y passer en plus toutes nos journées ensemble.

— Il le faut pourtant : je ne veux pas que le… l'incident de tout à l'heure perturbe la bonne marche des travaux.

— Quand ils seront terminés, je pourrai donc vous embrasser de nouveau ?

— Ne me faites pas dire ce que je n'ai pas dit !

Les yeux de Sara lançaient des éclairs, et le feu de la colère la rendait si belle que Nick fut tenté de continuer à la taquiner, mais il y renonça finalement. L'ironie était pour lui un mode de communication ; elle ne devait en aucun cas servir à manipuler les autres.

— Ne vous inquiétez pas, mademoiselle Crawford, déclara-t-il. Je vous promets de ne plus vous toucher, même si j'ai du mal, en cet instant précis, à m'empêcher de vous sauter dessus.

— Après votre chute d'hier, je doute que vous soyez capable de sauter sur qui que ce soit ! A condition de ne pas trop m'approcher de vous, je pense même être à l'abri de vos éventuelles assiduités pendant quelques jours au moins !

11.

Le lendemain matin, Sara descendit dans la cuisine à 7 h 30. Nick s'était levé avant elle, comme d'habitude, et lui avait laissé une pleine verseuse de café chaud.

Elle s'en servit une tasse et alla s'asseoir près de la fenêtre. La journée s'annonçait douce et ensoleillée, parfaite pour le démarrage d'un chantier.

— J'attends vos ordres, chef ! Par quoi dois-je commencer ?

La jeune femme sursauta si violemment qu'elle faillit renverser du café sur sa jambe. Elle se retourna et vit Nick qui venait d'entrer par la porte du jardin. Comment faisait-il pour la surprendre ainsi chaque fois ?

— Je préfère éviter les travaux de menuiserie, reprit-il. Si je me plantais une écharde dans le doigt, Dexter voudrait me l'enlever avec une de ses aiguilles à coudre, et je ne suis pas très sûr de leur propreté.

— Comme je ne vous crois pas bon à grand-chose, monsieur Bass, je vous nomme factotum. Ainsi, vous vous rendrez utile, mais vous ne risquerez pas de provoquer de trop gros dégâts.

— Et si je me chargeais de la peinture ?

— Non, cela exige une patience que vous n'avez pas.

— De l'électricité, alors ?

— Je déteste l'odeur de chair carbonisée.

— J'ai malgré tout un point fort.

— Vraiment ? Et de quoi s'agit-il ?

— La prospective.

— La prospective ?

— Oui. J'aime résoudre les problèmes avant même qu'ils ne se posent, anticiper les difficultés de façon à pouvoir les contourner.

Où voulait-il en venir ? songea Sara. Le meilleur moyen de le savoir étant d'entrer dans son jeu, elle demanda :

— Et quels problèmes nous attendent, selon vous ?

— J'imagine qu'un plein bateau de fournitures va arriver ici ce matin ? Des pots de peinture et de colle, des tonnes de clous, des outils, du bois de charpente, des rouleaux de fil électrique...

— Il y aura en effet bientôt à Thorne Island tout ce qu'il faut pour effectuer les travaux — tout, sauf de la main-d'œuvre qualifiée.

Nick ne releva pas cette pique. Le visage grave, il déclara :

— Vous avez pensé à la façon dont vous allez transporter ces matériaux de la jetée au Cozy Cove ?

— Bien sûr ! répondit Sara. Pourquoi ai-je ramené ma Volkswagen ici, à votre avis ? Il faudra faire plusieurs voyages, mais cela ne prendra pas plus d'une heure ou deux en tout.

Ayant finalement compris le but de Nick, elle enchaîna pour le seul plaisir de le taquiner :

— Vous n'avez donc pas à vous inquiéter. Je remplirai chaque fois le coffre et l'habitacle arrière, et...

— Laissez-moi conduire !

— Pardon ? susurra la jeune femme, feignant de ne pas avoir entendu.

— Laissez-moi conduire votre Coccinelle !

— Ce serait volontiers, mais j'ignore si votre permis est encore valide. Vous êtes depuis si longtemps sur cette île...

— Je vous promets d'éviter les gendarmes.

— D'accord, mais à une condition.

— Laquelle ?

Sara sortit ses clés de voiture de sa poche et les balança sous le nez de Nick en disant :

— Je vous les donne en échange de quelques informations.

— Entendu. Je vous ai déjà parlé du trésor de Thorne Island, de la famille Kraus et de la tentative de Millie pour remettre le vignoble en exploitation... Que voulez-vous savoir d'autre ?

— Ce n'est pas l'histoire de l'île qui m'intéresse, mais celle de Ryan : pourquoi est-il ici ? Et pourquoi l'idée de ne plus y être seul avec vous l'effraie-t-elle à ce point ? Mais je vais d'abord me servir un deuxième café... Et asseyez-vous, vous serez mieux que debout !

Ravie d'avoir enfin prise sur Nick, Sara mit beaucoup plus de temps qu'il n'en fallait pour remplir sa tasse. Elle alla ensuite s'installer en face de lui à la table de la cuisine et annonça :

— Je vous écoute !

— Désolé, mais je ne peux pas vous répondre. J'aurais le sentiment de trahir la confiance d'un ami.

— Cette conversation restera confidentielle, je vous le promets.

— Peut-être, mais...

— Pas d'informations, pas de clés de voiture !

— C'est du chantage ! Et pourquoi Ryan, d'ailleurs ? Pourquoi pas un des deux autres ?

— Parce que leurs raisons à eux de fuir la société me semblent moins mystérieuses. Celles de Brody sont même évidentes : il est tellement grincheux que personne ne veut de lui — sauf vous trois, et encore, dans un environnement qui vous permet de ne pas le voir trop souvent. Quant à Dexter, il n'a pas pu supporter de vivre dans un monde où des gens continuaient de jouer au football alors que lui avait dû arrêter. Il s'est donc réfugié ici et y passe ses journées sa télécommande dans une main et un manuel de kinésithérapie dans l'autre. Il s'est donné pour mission de vous faire recouvrer l'usage normal de votre jambe.

Nick hocha la tête, mais sans que Sara arrive à décrypter la signification de ce geste, puis il demanda :

— Et moi ? Vous ne vous posez pas de questions à mon sujet ?

— Si, mais je les garde pour moi, parce que vous n'y répondriez pas. Vous êtes venu vous installer sur cette île après avoir reçu une balle dans le dos... Je ne sais pas si elle a été tirée par un mari jaloux, ou par le caissier du magasin que vous étiez en train de cambrioler... Tout ce que je sais, c'est que cela s'est produit il y a six ans, et que vous attendez depuis... Quoi ? Ça aussi, je l'ignore. Que la balle ressorte de l'autre côté, peut-être ?

Le visage de Nick se crispa, comme si Sara avait touché un point sensible, mais il se tut.

— Votre silence confirme que vous n'êtes pas disposé à répondre à mes questions, reprit-elle, alors j'en reviens à Ryan : parlez-moi de lui. Ma curiosité n'a rien de malsain, au contraire. Je l'aime bien et je voudrais mieux le connaître, c'est tout.

Nick la considéra avec attention pendant un long moment, puis il dut la juger digne de confiance, car il finit par déclarer :

— D'accord. Voilà ce qui est arrivé à Ryan.

L'histoire d'Eliot Ryan, que Nick lui résuma en quelques mots, émut profondément Sara : excellent jockey, il avait été victime d'une odieuse machination et injustement condamné à dix-huit mois de prison. Nick refusa d'abord d'entrer dans les détails, mais elle insista, et il accepta finalement de tout lui raconter :

— Ryan suspectait l'un des entraîneurs de l'écurie où il travaillait d'injecter un produit dopant aux chevaux. Quand il est allé lui demander des explications, cet homme lui a dit de se mêler de ses affaires, faute de quoi il ne monterait plus jamais en course.

— Il a donc gardé le silence ?

— Oui. Sa mère était alors gravement malade, et il devait payer des soins médicaux très coûteux. Ce silence lui a valu de participer à des courses prestigieuses et de gagner beaucoup d'argent. Quand des rumeurs de dopage se sont mises à courir sur son écurie et qu'une enquête a été diligentée, cependant, les soupçons se sont portés sur lui.

— Il a été jugé pour complicité ?

— Non, il a bénéficié d'un non-lieu pour insuffisance de preuves.

— Pourquoi est-il allé en prison, alors ?

— Pour une autre irrégularité. Il existe un petit appareil, de la taille d'un briquet, qui fonctionne avec une pile et permet, d'une simple pression du pouce, d'envoyer dans n'importe quelle partie du corps du cheval une décharge électrique assez forte pour le faire courir plus vite. Il est si efficace et si facile à dissimuler que certains jockeys ne résistent pas à la tentation de l'utiliser.

Sara avait la certitude que Ryan était incapable d'infliger sciemment ce genre de supplice à un animal, et Nick partageait cette opinion, car il continua :

— Ryan a toujours clamé son innocence, et je le crois. Toujours est-il qu'à la fin d'une course importante qu'il venait de remporter, le concurrent arrivé second a déposé une réclamation : il a affirmé avoir vu Ryan se servir de l'appareil en question. Les commissaires ont visionné le film-contrôle des dizaines de fois, et fini par trouver une image où la position de la main droite de Ryan pouvait laisser penser qu'il était en train d'utiliser cet appareil. Ils en ont ensuite découvert un sur la piste, manifestement abandonné là pour incriminer Ryan, et cette fois, il y a eu procès. Le scandale précédent ayant entaché sa réputation, le juge a prononcé contre lui une peine anormalement lourde pour ce genre de délit, et cette deuxième affaire a bien sûr sonné le glas de sa carrière.

— Comment est-il arrivé à Thorne Island ?

— Brody fréquentait beaucoup les champs de courses, autrefois. Il connaissait Ryan et l'a invité à venir s'installer ici à sa sortie de prison. Tous ses amis l'avaient abandonné, et sa mère, sa seule famille, était morte pendant son incarcération.

Victime innocente de deux escroqueries successives, Ryan avait de bonnes raisons de ne plus faire confiance à personne, songea Sara, le cœur serré.

— Si vous voulez mon avis..., commença-t-elle.

— Non, je vous arrête tout de suite ! Je ne vous ai pas raconté cette histoire pour que vous alliez jouer les assistantes sociales auprès de Ryan.

— Je le sais : vous me l'avez racontée en échange des clés de la Coccinelle... Vos motivations sont beaucoup plus nobles que les miennes !

— Peu importe, déclara Nick en tendant la main. J'ai rempli ma partie du contrat, à vous de remplir la vôtre, maintenant !

La jeune femme avait d'autres questions à lui poser, mais la voix de Dexter retentit soudain dans le vestibule :

— Nick ! Sara ! Venez vite ! La péniche d'avant-hier est là, avec une énorme cargaison !

— Donnez-moi ces clés, mademoiselle Crawford ! ordonna Nick. Et n'oubliez pas votre promesse : cette conversation doit rester confidentielle.

— Entendu, je me tairai.

— Et vous ne devez rien changer non plus dans vos relations avec Ryan : si vous essayez de le consoler ou, pire encore, de le conseiller, il comprendra immédiatement que vous êtes au courant de ses malheurs.

— Tenez, voilà les clés !

Nick s'en empara et, dans sa hâte de conduire la Coccinelle, il quitta la cuisine sans s'apercevoir que Sara s'était engagée à ne rien dire, mais pas à ne rien faire.

Le vendredi soir, le chantier du Cozy Cove était déjà bien entamé. Dexter avait repeint deux chambres, et il suffisait de poser une frise de papier peint en haut et en bas des murs pour que leur remise à neuf soit terminée. De son côté, Ryan avait presque fini de réparer le plancher de la véranda. Brody, lui, avait coupé le compteur et testé toutes les prises électriques de la maison avec un drôle d'appareil. Il semblait savoir ce qu'il faisait, mais chaque fois que Sara était passée devant une pièce où il travaillait, elle l'avait entendu bougonner. C'était même un miracle qu'il ait accepté de collaborer au projet de ses amis.

Des quatre hommes de Thorne Island, Nick était sûrement celui qui avait eu la journée la plus agréable. A en juger par le nombre de fois où la Coccinelle s'était arrêtée dans la cour, il avait effectué les trajets avec moitié moins de chargement que la voiture n'aurait pu en contenir. Et comme il venait toujours d'une direction différente, il avait dû trouver des chemins détournés pour aller de la jetée à l'hôtel.

— Vous essayez de rattraper en quelques heures six années passées sans conduire ? lui avait lancé Sara depuis sa fenêtre. N'oubliez pas que, quand le réservoir sera vide, il faudra persuader Winkleman de nous apporter de l'essence — et que cela me coûtera vingt dollars.

— Ne vous inquiétez pas ! avait répondu Nick avec un sourire éclatant, preuve s'il en était besoin qu'il s'amusait beaucoup. Pour vous, Winkie est prêt à faire la traversée tous les jours, et gratuitement. Vous l'avez conquis !

Une fois le transport des matériaux terminé, il était monté sur le toit et avait entrepris de réparer les fuites.

Craignant d'être accusée de jouer les mouches du coche, la jeune femme avait partagé son temps entre les vignes et sa chambre, que le portable et l'ordinateur acheté à Sandusky lui permettaient de transformer en annexe de son bureau de Fort Lauderdale.

Elle pratiqua la même politique le lendemain, mais ne tarda pas à s'apercevoir que les réparations en cours l'intéressaient beaucoup plus que les colonnes de chiffres affichées sur son écran. Elle brûlait d'aller voir où en était le chantier, d'en suivre l'évolution, de participer activement à la renaissance du Cozy Cove. Sa carapace d'expert-comptable rationnelle et pragmatique était en train de craquer de toutes parts, révélant une idéaliste sensible à la beauté de la nature et au charme des vieilles pierres.

L'autre découverte qu'elle fit pendant ces heures de solitude la surprit encore plus : la compagnie des hommes de Thorne Island lui manquait. Enfermée dans sa chambre, elle les entendait ronchonner et jurer comme des charretiers, mais aussi, parfois, siffloter, chanter ou échanger des plaisanteries. Leur présence redonnait vie à la maison, et Sara avait envie d'aller les rejoindre, pour se sentir intégrée à l'équipe qu'ils formaient.

C'est pourquoi, le samedi en début de soirée, elle appela Winkleman et lui passa une commande spéciale :

— Il me faut deux poulets découpés, une bouteille d'huile végétale, une livre de cheddar, un kilo de farine, un paquet de margarine, trois kilos de pommes de terre...

Elle aurait dû être effrayée par l'accumulation d'aliments trop riches que cette liste contenait, elle qui lisait toujours les étiquettes des produits pour en calculer l'apport en graisses, pourtant un profond sentiment de satisfaction l'envahit quand, au terme de son énumération, Winkleman s'écria :

— Vous me mettez l'eau à la bouche ! C'est un véritable festin que vous avez en tête, et ceux qui y participeront ont bien de la chance !

— Vous êtes invité, monsieur Winkleman. Je vous demande seulement d'être là demain à 17 heures au plus tard... Ah ! Et avant que je n'oublie : apportez aussi un gros paquet de serviettes en papier !

— C'est noté.

— Et surtout, ne dites rien aux autres. Je veux leur faire la surprise.

Après avoir raccroché, Sara descendit vérifier si elle avait les ustensiles de cuisine nécessaires à la préparation d'un repas pour six personnes. Ses achats du mercredi précédent incluaient heureusement toutes les poêles et les casseroles dont elle avait besoin. En repassant mentalement sa commande, elle s'aperçut qu'il y manquait une plaquette de beurre. C'est pourquoi, plutôt que de rappeler Winkleman, elle décida d'aller en acheter une à Brody.

La voix de ce dernier lui parvint alors qu'elle était encore à plusieurs mètres de l'intendance. La porte était entrebâillée, et elle entendit Brody parler sur un ton si sec et autoritaire qu'elle n'osa pas entrer tout de suite. Mieux valait attendre qu'il en ait terminé avec son malheureux interlocuteur.

— Bien sûr que si, c'est parfaitement possible ! était-il en train de hurler.

Du silence qui suivit, Sara déduisit qu'il était au téléphone.

— Affrétez un bateau si nécessaire, reprit Brody, mais je veux que vous me fassiez parvenir cent mètres de tube isolant de qualité supérieure dans les meilleurs délais ! Et livrez-moi aussi huit ventilateurs de plafond, tant que vous y êtes, mais n'essayez pas de me refiler de la camelote ! Il me faut des appareils silencieux : si un seul d'entre eux émet ne serait-ce qu'un ronronnement, je vous le renvoie illico !

Brody ajouta à sa commande du câble électrique, des fusibles et diverses autres choses dont Sara entendait le nom pour la première fois. L'idée du trou que ces achats allaient encore creuser dans des économies déjà sérieusement entamées l'affola. Non, elle n'avait pas les moyens d'engager de nouvelles dépenses... Si Brody cherchait ainsi à se débarrasser d'elle, son plan risquait fort de marcher…

Elle s'apprêtait à pousser la porte pour s'expliquer avec lui lorsqu'il s'écria d'une voix indignée :

— Comment vous pouvez être sûr que je vous paierai ? Vous ne savez donc pas qui je suis, jeune homme ? Alors écoutez-moi bien : dès que j'aurai raccroché, téléphonez à Vernon Russell, le directeur de l'agence centrale de la Union Trust Bank de Cleveland ! Dites-lui que Carlton Brody vient de passer une commande à votre magasin et lui demande de régler la facture par virement… Non, je n'ai pas son numéro ! Vous n'avez qu'à consulter l'annuaire ou à appeler les renseignements… à moins que cela ne dépasse vos compétences ? Et je vous préviens : si je ne suis pas livré lundi, je me plaindrai à vos supérieurs !

Comme il était impossible, avec un portable, d'exprimer sa fureur en reposant brutalement le combiné sur son support, Brody donna à la place un violent coup de poing sur un meuble — du moins est-ce ainsi que Sara interpréta le bruit retentissant qui suivit. Soudain consciente de retenir son souffle depuis une bonne minute, elle expira profondément, puis repensa aux paroles de Brody. Si quelqu'un le lui avait dit, elle ne l'aurait pas cru, mais elle l'avait entendu de ses propres oreilles : il allait payer de sa poche les fournitures qu'il avait commandées ! Cachait-il donc un cœur généreux, sous ses dehors revêches ?

— Qu'est-ce que vous faites ici ?

La brusque apparition de Brody sur le seuil et son ton agressif auraient effrayé la jeune femme un quart d'heure plus tôt seulement, mais là, elle faillit lui sourire.

— Depuis combien de temps êtes-vous derrière cette porte ? reprit-il.

— Deux ou trois minutes.

— Pourquoi n'avez-vous pas manifesté votre présence ?

— Vous étiez au téléphone. Je ne voulais pas vous déranger.

— Vous vouliez plutôt écouter la conversation, et vous avez dû en entendre une partie, mais n'en tirez pas de conclusions hâtives ! J'aime le travail bien fait, et le matériel que vous m'avez fourni n'est pas d'assez bonne qualité selon mes critères à moi. Ce n'est donc pas pour vous, mais pour ma satisfaction personnelle que j'ai décidé de le remplacer.

— Je ne vous en suis pas moins reconnaissante de...

— Inutile de me remercier, et n'allez pas vous imaginer que j'ai changé d'avis à propos de vos projets : je suis toujours violemment opposé à l'invasion de cette île par des hordes de vacanciers... Je peux savoir, maintenant, pourquoi vous êtes là ?

Il fallut quelques secondes à Sara pour s'en souvenir.

— Ah oui ! déclara-t-elle. Je suis venue vous acheter une plaquette de beurre.

— Entrez ! Je vais voir si j'en ai.

Brody s'effaça pour laisser passer la jeune femme, puis il alla ouvrir le réfrigérateur et annonça :

— Il ne m'en reste qu'une, et il faudra vous contenter de la moitié, parce que quelqu'un d'autre peut en avoir besoin.

— Bien sûr, c'est tout à fait normal... Combien vous dois-je ?

— Un dollar dix, et n'espérez pas que je vous fasse cadeau des dix cents ! Avec toutes les heures de main-d'œuvre que j'effectue gratuitement pour vous, je ne vais pas en plus vous vendre mes marchandises à perte !

— Bien sûr que non !

Sara posa l'argent sur la table pendant que Brody coupait la motte de beurre en deux. Il lui en tendit une moitié enveloppée dans du papier d'aluminium, et elle la prit en disant :

— Merci infiniment, monsieur Brody, et bonne soirée !

En guise de réponse, il souffla par le nez comme un taureau s'apprêtant à charger, mais elle savait à présent qu'il était moins méchant qu'il ne voulait en avoir l'air.

12.

Le bateau de Winkleman arriva le lendemain à 17 heures précises. Eludant les questions de Nick sur sa destination et la raison de la présence de Winkie à Thorne Island un dimanche après-midi, Sara monta dans la Coccinelle et mit le contact en s'écriant joyeusement :

— Ne vous inquiétez pas, monsieur Bass ! Nous n'avons pas l'intention de faire la fête sans vous.

De retour au Cozy Cove avec Winkleman et les courses, elle se gara à l'arrière de la maison afin de pouvoir y transporter les sacs d'épicerie à l'abri des regards. La préparation du repas lui prendrait cependant deux bonnes heures, et comme il lui serait difficile d'interdire aux hommes l'entrée de la cuisine pendant tout ce temps sans éveiller leurs soupçons, elle chargea Winkleman de leur apporter une grande Thermos de citronnade et une glacière pleine de canettes de bière.

— S'ils veulent autre chose à boire, déclara-t-elle, dites-leur de ne pas se déranger et que vous allez le leur chercher.

Aucun stratagème ne pouvait en revanche empêcher de s'échapper de la cuisine les bonnes odeurs qui ne tardèrent pas à la remplir. La jeune femme entendit même à un moment Brody lancer à ses compagnons :

— Je ne sais pas ce qu'elle concocte, mais ça sent drôlement bon !

— Vous le saurez bientôt, monsieur Brody..., murmura Sara avec un petit sourire.

Après avoir bu une nouvelle gorgée de l'excellent chardonnay de Thorne Island cuvée 1990 dont elle s'était servi un verre, elle farina un dernier morceau de poulet et le plongea dans la friture.

A 19 heures, le dîner était prêt. Sara mit le couvert dans la salle à manger, déboucha une autre bouteille de vin, puis elle alla se planter au pied de l'escalier et cria :

— Arrêtez tous ce que vous êtes en train de faire, lavez-vous les mains et venez dans la salle à manger !

Quand elle regagna la cuisine, la vue d'ensemble du désordre qui y régnait l'horrifia : toutes les surfaces disponibles étaient encombrées de poêles, de casseroles et autres récipients sales ; le carrelage, au pied du plan de travail, était saupoudré de farine, et le dessus de la cuisinière parsemé de projections d'huile... Le temps qu'elle aurait passé à préparer ce repas et à tout nettoyer ensuite lui parut soudain ridiculement long comparé à celui que ses invités mettraient à le manger, mais mieux valait ne pas y penser...

Elle venait de poser un petit pain chaud à côté de chaque assiette quand les hommes entrèrent dans la pièce. Ils s'immobilisèrent, frappés de stupeur en découvrant sur la table une montagne de poulet frit, de la purée de pommes de terre recouverte de beurre fondu, des asperges au cheddar, des épis de maïs frais, un plein saladier de sauce brune...

— Il y a de quoi nourrir une armée ! s'écria finalement Brody.

— On dirait que notre expert-comptable est également un fin cordon-bleu, remarqua Nick.

— Ça a l'air bon ! s'exclama Ryan.

Dexter, lui, privilégia l'action sur la parole : devançant de peu Winkleman, il s'assit sur la chaise la plus proche et accrocha une serviette au col de sa chemise maculée de peinture.

— Installez-vous, messieurs, et bon appétit ! dit la jeune femme.

A supposer que Sara se soit demandé ce qu'elle ferait des restes, son problème aurait été résolu par l'absurde : il n'y en eut aucun. Mais si les hommes avaient dévoré leur repas avec un appétit flatteur pour la cuisinière, ils n'avaient pas témoigné à la femme la cordialité qu'elle attendait d'eux en récompense de ses efforts. Ils n'avaient au contraire parlé que de pêche et de sport, comme pour mieux la tenir à l'écart de la conversation.

Après leur avoir servi à chacun une deuxième part de tarte aux cerises, elle resta debout, à les regarder vider leurs assiettes sans lui prêter la moindre attention. Nick finit cependant par se tourner vers elle, et il dut lire un muet reproche sur son visage, car il interrompit une tirade de Brody sur la pêche au lancer pour déclarer :

— Je propose de porter un toast à notre hôtesse. Grâce à elle, nous avons mangé notre meilleur repas depuis des années.

— Oui, j'avais oublié le plaisir que procure un bon dîner, renchérit Dexter.

— C'était délicieux, remarqua Brody.

Le menton dégoulinant de jus de cerise, Winkleman opina de la tête tandis que Ryan adressait un sourire timide à Sara.

Ils levèrent tous leur verre, en burent une gorgée, puis la jeune femme expliqua :

— Je vous ai préparé ce repas pour vous remercier de tout ce que vous faites ici. Vous y consacrez beaucoup de temps, et je suis très satisfaite du résultat, mais je suis surtout contente de voir que vous aimez assez cette île pour vouloir l'embellir, sans tenir compte de vos intérêts personn…

— On y va, les gars ? coupa Brody. Il faut se lever tôt, demain.

— Excusez-moi, monsieur Brody, mais j'étais en train de parler ! s'écria Sara, outrée.

— Ah bon ? Continuez pour les autres, alors, s'ils veulent rester… Moi, je vais me coucher : le jour des fouilles commence toujours à l'aube.

— Vous ne comptez pas travailler demain ?

— Bien sûr que non ! Le jour des fouilles, c'est sacré !

Sara fixa tour à tour les trois autres chercheurs de trésors, attendant leur soutien, mais Dexter se leva et dit en consultant sa montre :

— Le match des Indians contre l'équipe de New York débute dans une demi-heure… Tu viens le regarder avec moi, Ryan ?

— Non, j'ai trop mangé et j'ai besoin de dormir, maintenant, répondit l'interpellé avant de repousser sa chaise et de se diriger vers la porte. Merci, Sara !

— Et moi, il faut que je me dépêche de rentrer à Put-in-Bay, annonça Winkleman, sinon ma femme va s'inquiéter.

Les quatre hommes quittèrent la pièce à la queue leu leu, laissant Sara face à des monceaux de vaisselle sale et à un Nick qui faisait des efforts louables mais sans grande efficacité pour cacher son amusement.

— J'ai l'impression que vous êtes un peu... déçue par leur façon de prendre congé, dit-il. Je me trompe ?

Sara lui lança un regard noir.

— Vous remarquerez que je ne les ai pas suivis, souligna-t-il.

— Et le fait que vous vous considériez comme un modèle de courtoisie est censé me réconforter ?

— Je ne me pose en modèle dans aucun domaine, mais malgré tous mes défauts, je suis encore là, moi !

Jetant sur la table la serviette qu'elle avait déchiquetée sans même s'en rendre compte, la jeune femme s'exclama :

— Pourquoi Brody ne peut-il pas, juste pour cette semaine, renoncer à ce rite stupide ? Il doit bien savoir que vous ne trouverez jamais aucun trésor, alors quelle importance, s'il saute un jour de fouilles ? Et pourquoi vous pliez-vous à ses caprices ?

— Parce que nous sommes complètement idiots, comme vous me l'avez laissé entendre à plusieurs reprises depuis votre arrivée. Vous ne devriez donc pas être étonnée : notre conduite est conforme à ce que vous pensez de nous.

— Vous avez raison. J'espérais vous voir agir en êtres raisonnables, pour une fois, mais je me faisais visiblement des illusions.

La colère de Sara avait cédé la place au découragement. Elle commença à empiler des assiettes sales et, en revenant de la cuisine après les y avoir déposées, elle eut la surprise de croiser Nick dans le vestibule. Il avait les bras chargés de plats, et à eux deux, ils eurent vite fini de débarrasser la table. Sara s'attendait à ce que Nick s'en aille ensuite, mais alors qu'elle sortait le flacon de liquide vaisselle du placard, il le lui prit d'autorité des mains, en versa quelques gouttes dans l'évier et le remplit d'eau chaude.

— Laissez, je vais le faire, dit-elle.

— Non. Moi, je lave ; vous, vous essuyez.

La jeune femme aurait préféré le contraire, mais elle était trop démoralisée pour discuter.

La vaisselle s'entassait dans l'égouttoir, constata bientôt Nick. Sara ne soutenait pas le rythme, et il lui jeta un coup d'œil par-dessus son épaule. Elle était en train d'essuyer un verre qui n'en avait de toute évidence plus besoin, mais qu'elle continuait à frotter avec une sorte de sombre détermination.

— Je crois que ce verre est sec, dit-il. Si vous passiez au suivant ? Sinon, à raison d'un toutes les dix minutes, nous en avons pour la nuit !

— Désolée, déclara-t-elle en posant le verre sur la table. Je pensais à autre chose.

— C'est le temps perdu à cause du jour des fouilles qui vous tracasse encore ?

— Oui. J'ai conscience d'être égoïste en reprochant à Brody son refus de sacrifier à mon seul profit un rite si important pour lui — même si je ne comprends pas pourquoi —, mais je ne peux pas m'en empêcher : la rénovation du Cozy Cove me tient tellement à cœur…

— Je sais.

— Et il n'y a pas que ça, ajouta Sara. J'espérais…

Sa voix se brisa, et un sanglot lui secoua les épaules. Elle tourna le dos à Nick, mais pas assez vite pour lui cacher les larmes qui commençaient à couler sur ses joues.

C'était la première fois depuis des années qu'il voyait une femme pleurer, et son cœur se serra. Celle-ci avait sûrement bu trop de chardonnay, les préparatifs du repas devaient l'avoir fatiguée, et le comportement de ses invités l'avait blessée dans son amour-propre. Nick connaissait donc les raisons de sa brusque défaillance, mais cela ne l'aidait en rien à trouver un moyen de la consoler.

Faute de mieux, il s'approcha d'elle et murmura :

— Je vous en prie, ne pleurez pas…

— Ex… excusez-moi, balbutia-t-elle entre deux hoquets. Je… n'ai pas… l'habitude de…

Un nouveau sanglot l'interrompit. Nick s'essuya les mains au torchon abandonné sur la table, puis les posa sur les bras nus de Sara en disant :

— Vous nous avez offert un merveilleux repas. Tout le monde en a convenu, même Brody… C'est déjà ça, non ?

— Ou… oui.

— Mais ça ne vous suffit manifestement pas, alors si vous m'expliquiez ce que vous attendiez exactement de ce dîner ?

Comme Nick n'avait en fait aucune envie de jouer les confidents, il fut soulagé de s'entendre répondre :

— A quoi… bon ? Vous… ne comprendriez… pas.

— C'est possible, en effet, mais que puis-je faire pour vous, dans ce cas ?

Sara gardant le silence, il la tourna doucement vers lui… et le regretta aussitôt, car la vue de ses grands yeux bleus remplis de larmes acheva de le bouleverser. Elle tremblait, et le tissu léger de son chemisier blanc montait et descendait au rythme saccadé de sa respiration. Elle ouvrit la bouche comme pour parler, mais seul un soupir s'en échappa.

Nick sentit le désir monter en lui, lentement, insidieusement, puis avec une force croissante.

— Je ne sais pas comment vous réconforter, déclara-t-il, si ce n'est en faisant quelque chose dont j'ai justement très envie...

Ses lèvres s'unirent à celles de Sara et en retrouvèrent avec délices la douceur, la tiédeur, auxquelles s'ajoutait ce soir le goût délicat du vin blanc. Elle s'abandonna dans ses bras et il resserra son étreinte, maintenant possédé par une passion dévorante. Sara poussait de petits soupirs, mais de plaisir, cette fois... Enhardi, il la souleva de terre et l'assit sur la table.

Son cœur battait à grands coups dans sa poitrine à l'idée de ce qui allait se passer. Sara était visiblement consentante et, dans une minute, elle serait allongée sur cette table, ils...

Un bruit retentissant les figea sur place : l'unique verre que la jeune femme avait essuyé venait de se fracasser sur le sol. Ce petit incident eut malheureusement de grands effets : Sara posa les deux mains sur la poitrine de Nick et le repoussa en déclarant :

— Non, il ne faut pas.

— Pourquoi ?

— Nous en avons déjà parlé, et vous m'aviez promis de ne plus me toucher.

— Je n'aurais pas dû prendre un engagement que je savais d'avance presque impossible à respecter. J'ai cependant des circonstances atténuantes : vous pleuriez, et je ne voyais pas d'autre moyen de sécher vos larmes.

Reconnaissez au moins que cela vous a permis de vous sentir mieux !

— Bien, oui, mais pas mieux. Ce n'est pas pareil.

— Je ne comprends pas.

— Votre... solution n'a pas réglé le problème de fond.

— C'est-à-dire ?

— Je voudrais que vos amis et vous me considériez comme une des vôtres.

— Mais nous faisons déjà tous ces travaux pour vous ! Ça ne vous suffit pas ?

Sara se saisit du torchon, contourna Nick et se dirigea vers l'égouttoir.

— Vous n'avez pas la moindre idée de la raison pour laquelle je pleurais, n'est-ce pas ? observa-t-elle.

— Je sais en tout cas pourquoi vous vous êtes arrêtée !

Sa frustration rendait Nick irritable. Il trouvait d'habitude amusant, et même excitant, de polémiquer avec Sara, mais là, il n'en avait aucune envie.

— Peu importe..., grommela-t-il en retournant à l'évier et en repêchant la lavette. Finissons la vaisselle et allons nous coucher !

— Allez-y maintenant, vous ! Je vais terminer toute seule.

Nick ne bougea pas.

— Je vous dis que je terminerai toute seule !

— Vous avez peur, si je reste, d'être tentée de reprendre les choses là où nous les avons laissées ?

— C'est possible.

— Et vous pensez vraiment qu'il ne peut rien en sortir de bon ?

— Oui !

Furieux, Nick jeta la lavette dans l'eau et quitta la cuisine à grands pas. Il monta dans sa chambre, mais, trop nerveux pour dormir, il se mit à arpenter la pièce. Sara avait-elle raison ? Devaient-ils réellement renoncer à devenir amants, malgré le désir évident qu'ils en avaient tous les deux ? Ils appartenaient à des mondes différents, c'était vrai, et Nick ne se sentait pas disposé à abandonner le sien pour rejoindre celui de Sara. Sa nature anticonformiste et indépendante le rendait allergique à toute idée d'embourgeoisement.

D'un autre côté, qui parlait de s'engager pour la vie ? Sara elle-même avait dit que leur attirance mutuelle était un phénomène purement physique, alors pourquoi se refuseraient-ils une petite aventure, plaisante et sans conséquence ?

A force de faire les cent pas, sa jambe finit par lui faire mal. Il s'assit à sa table de travail et alluma son ordinateur, soudain décidé à mettre l'énergie qu'il n'avait pas pu dépenser au service de son écriture.

L'image d'Ivan Banning lui apparut avec une clarté saisissante, et l'inspiration lui vint aussitôt. Banning était l'exutoire dont il avait besoin ce soir pour libérer son trop-plein d'émotions : son héros allait rencontrer dans ce chapitre une femme prête à se donner à lui sans lui compliquer pour autant l'existence.

Il était plus de 23 heures quand Sara eut enfin terminé. Au cas où Nick couperait le groupe électrogène avant qu'elle ne soit couchée, elle prit une lampe à pétrole dans le salon. Elle était cependant si fatiguée que cette précaution se révélerait sans doute inutile : elle comptait se mettre directement au lit, et même sa rancœur contre les hommes de Thorne Island ne l'empêcherait pas de s'endormir la tête sur l'oreiller.

A moins que l'image de l'un d'eux en particulier ne la tienne éveillée ? Si seulement elle pouvait chasser de son esprit la pensée de Nick aussi facilement qu'elle avait nettoyé la cuisine !

Le couloir du premier étage était plongé dans l'obscurité, mais de la lumière filtrait sous la porte de Nick. La jeune femme s'approcha sur la pointe des pieds et l'entendit taper à l'ordinateur. Elle imagina ses mains effleurant les touches du clavier. Elle les imagina…

Non, toute idée de ce genre était interdite, et elle chassa ses fantasmes en se demandant encore une fois ce que Nick faisait. Il écrivait, mais quoi ? La clé du mystère qui l'entourait se trouvait-elle dans le disque dur de son ordinateur ?

13.

Comme prévu, la voiturette de golf pénétra dans la cour du Cozy Cove le lundi matin à l'aube. Et si le crissement des pneus sur le gravier n'avait pas réveillé Sara, la voix de Brody criant sous les fenêtres de l'hôtel l'aurait fait.

La porte d'entrée claqua cinq minutes plus tard, Nick grommela une phrase inintelligible à laquelle Brody répondit sur le même ton rogue, puis ils partirent une nouvelle fois à la poursuite de leur chimère.

Après avoir vainement essayé de se rendormir, la jeune femme décida de profiter de ces moments de calme pour vaquer tranquillement à ses propres occupations — l'entretien des vignes, puis ses écritures comptables. Mais avant, elle voulait inspecter les chambres rénovées.

Sur les six que comptait l'étage, Dexter en avait repeint quatre. Il attendrait le départ de Sara pour s'attaquer à celle où elle dormait, et Nick avait déclaré que la sienne lui convenait parfaitement en l'état. Dans la mesure où il en était locataire, c'était son droit, même si Sara le soupçonnait de vouloir surtout protéger son antre de toute intrusion.

Le travail de Dexter la satisfit entièrement. Leurs murs jaune pâle donnaient aux pièces un air gai et accueillant que viendraient bientôt renforcer les draps, les taies d'oreillers et les dessus-de-lit qu'elle comptait commander chez JC Penney, chaîne de grands magasins dont la succursale de Sandusky lui avait fourni le catalogue.

Arrivée au bout du couloir, Sara allait rebrousser chemin quand une idée folle lui traversa l'esprit. Elle tenta de la chasser : la femme de Barbe Bleue avait eu la même, et cela ne lui avait pas vraiment réussi.

La porte fermée de Nick exerçait pourtant sur Sara une attraction irrésistible. Elle s'était cent fois demandé à quoi Nick s'occupait, enfermé pendant des heures dans sa chambre... La réponse à cette question se trouvait derrière cette porte, et l'occasion qu'offrait le jour des fouilles pour la découvrir ne se représenterait sans doute pas.

La jeune femme tourna la poignée et entra dans une pièce beaucoup plus en désordre que lors de ses précédentes visites : il y avait des vêtements éparpillés un peu partout, le lit n'était pas fait et une tasse de café vide traînait sur la commode. Seul le bureau était bien rangé, et l'ordinateur qui trônait au milieu semblait attendre de livrer à Sara les secrets de Nick Bass. Elle tendit la main vers le bouton d'alimentation...

« Non, c'est mal ! » lui dit la voix de sa conscience.

« Nick a bien écouté ta conversation téléphonique avec Candy, l'autre jour ! répliqua une autre voix, celle du démon de la curiosité qui la possédait. Et il n'est pas normal qu'il sache à peu près tout de toi, et toi pratiquement rien de lui ! »

« Oui, mais il y a une grosse différence entre surprendre une conversation par une porte laissée ouverte et allumer un ordinateur pour y chercher des informations. Ce n'est pas non plus en fouillant dans tes affaires que Nick a obtenu des renseignements sur toi : tu les lui as fournies spontanément. »

Ce débat intérieur dura plusieurs minutes, Sara posant son doigt sur le bouton et l'en retirant alternativement, mais son sens moral finit par l'emporter : elle s'éloigna du bureau et se dirigea vers la porte. Son regard fut alors attiré par de grandes boîtes en carton empilées dans un coin de la pièce. Sur leur côté visible était inscrit au feutre noir ce qui ressemblait à des titres de romans policiers : *La Peur au ventre, Double Jeu, Le Tueur dans l'ombre, Le Prix du sang...*

Intriguée, la jeune femme s'en approcha, souleva la boîte du dessus et l'ouvrit avant que sa conscience n'ait eu le temps de l'en empêcher. Elle y découvrit des feuilles tirées sur une imprimante, en sortit quelques-unes et vit qu'elles portaient toutes en en-tête les mentions « La Mort n'attend pas », « Nicolas Bass », et un numéro de page.

Ainsi, Nick était écrivain ! songea Sara. Le jour où elle était arrivée sur l'île, elle l'avait surpris devant son ordinateur, et il lui avait bien semblé reconnaître sur l'écran le format d'un traitement de texte, mais jamais elle n'aurait imaginé qu'il était en train d'écrire un livre ! Les autres boîtes — sept au total, et fermées avec du ruban adhésif — devaient contenir des manuscrits terminés, et celle-ci une œuvre en cours.

Son étonnement n'avait d'égal que sa perplexité : comment un intellectuel comme Nick pouvait-il avoir reçu une balle dans le dos ? Pourquoi ces sept romans, apparemment prêts à être postés, ne l'avaient-ils pas été ? Et quelles histoires Nick y racontait-il ? Etaient-elles autobiographiques, seulement inspirées de son propre passé, ou purement imaginaires ?

Leur lecture serait de toute façon instructive, et le dernier en date, bien qu'inachevé, était justement accessible...

Avant de le commencer, Sara alla ouvrir la porte toute grande. Ainsi, même si elle n'entendait pas la voiturette de golf revenir, le bruit des pas de Nick dans le vestibule l'avertirait de son retour.

Oubliant les vignes, la comptabilité et tout le reste, la jeune femme s'assit en tailleur sur le sol, posa les deux cents pages rédigées de *La Mort n'attend pas* sur ses genoux et se plongea dedans.

A peine arrivée au tiers du manuscrit, Sara avait déjà une idée très claire du type d'homme qu'était Ivan Banning, le policier inventé par Nick. Elle connaissait ses qualités — le sens de l'honneur et de la justice — et ses défauts — un mépris total des règlements et un caractère emporté qui lui faisait parfois prendre des risques inconsidérés. Certains auteurs créaient des héros à leur image... Etait-ce le cas de Nick ? Sara était bien en peine de le dire. Son personnage avait cependant au moins un point commun avec lui : il était loin d'être parfait, et pourtant elle le trouvait attachant.

Sa position finit par fatiguer les muscles de ses jambes. Elle se leva, s'étira, puis alla s'asseoir dans le fauteuil en osier placé près de la porte et reprit sa lecture.

La pile de feuilles, à ses pieds, s'épaissit tandis que les bruits du dehors cessaient progressivement de l'atteindre. Les oiseaux ne chantaient plus, les feuilles des arbres ne bruissaient plus dans le vent, les vagues ne clapotaient plus, au loin...

Ce fut le sentiment angoissant d'une présence qui ramena la jeune femme à la réalité. Elle se tourna vers la porte... et rencontra le regard de Nick. Immobile comme une statue, ses boots à la main, il la fixait d'un air menaçant.

La boîte en carton ouverte, le gros tas de feuilles empilées près du fauteuil et la petite dizaine de pages qu'elle avait sur les genoux rendaient tout mensonge inutile. Les joues en feu, Sara bredouilla :

— P... pourquoi avez-vous enlevé vos chaussures ?

Dans son affolement, c'était tout ce qu'elle avait trouvé à dire.

— Vous jouez de malchance : elles étaient mouillées, répondit Nick. La prochaine fois que vous aurez besoin d'un signal d'alerte, je vous conseille donc de m'accrocher une clochette autour du cou.

— Je suis désolée... Je vais vous expliquer...

— Je vous écoute ! déclara-t-il en s'appuyant contre le chambranle et en croisant les bras.

— Eh bien, je suis tombée sur ce manuscrit...

— Il était sorti tout seul de sa boîte ?

— Non, bien sûr que non, mais...

— Mais quoi ? Il est évident que vous avez profité de mon absence pour venir fouiner dans ma chambre, alors avouez-le franchement, nous perdrons moins de temps !

Sara baissa la tête et garda le silence. Elle avait commis une indiscrétion que rien ne pouvait ni justifier ni excuser ; mieux valait donc se taire. Du coin de l'œil, elle vit Nick se redresser et entrer dans la pièce, mais il referma ensuite la porte si violemment qu'elle fit un bond et que les feuilles restées sur ses genoux s'éparpillèrent sur le sol. Elle leva les yeux et se tassa dans son siège quand Nick s'approcha d'elle. Il la dominait de toute sa taille, et une telle colère luisait dans ses prunelles grises qu'elle balbutia :

— Vous… vous n'allez tout de même pas me frapper ?

— Ce n'est pas l'envie qui m'en manque, et je ne sais pas si je vais arriver à la contenir.

— Vous… vous plaisantez, n'est-ce pas ? Vous n'oseriez pas ?

— Nous verrons. En attendant, dites-moi pourquoi vous avez fouillé dans mes affaires. Qu'espériez-vous y trouver ?

Un sursaut d'orgueil donna à la jeune femme le courage de défier son interlocuteur.

— Un pistolet, peut-être ? répondit-elle. Ou les menottes avec lesquelles vous seriez arrivé ici après vous être évadé de prison ? Quelque chose, en tout cas, qui me permettrait de comprendre pourquoi quelqu'un vous a tiré dessus, et pourquoi vous vivez depuis six ans en ermite sur cette île.

— Il ne vous est donc pas venu à l'idée que vous n'aviez pas le droit d'entrer dans ma chambre sans ma permission, et encore moins celui d'y chercher des informations sur mon passé ?

— Si, j'y ai pensé, et j'ai même failli ne pas le faire.

— Vos scrupules vous honoreraient s'ils vous avaient retenue, mais comme ce n'est pas le cas…

L'air soudain plus abattu qu'irrité, Nick se passa la main dans les cheveux, puis il pivota sur ses talons et alla se planter devant la fenêtre.

— Ecoutez, je suis désolée, déclara Sara en se levant et en se dirigeant vers lui. Vous avez entièrement raison : je…

— Restez où vous êtes !

— D'accord, mais laissez-moi au moins terminer ma phrase : je n'aurais pas dû entrer dans votre chambre.

— Ah ! Tout de même !

— Et je voudrais ajouter quelque chose, si vous le permettez.

— Non ! Partez, maintenant !

— Je vous en prie ! C'est très important.

Nick se retourna. Son visage exprimait de nouveau une violente colère.

— Le débat est clos ! s'écria-t-il. Nous sommes parvenus à la même conclusion, à savoir que vous êtes une petite fouineuse, dénuée de tout respect pour la vie privée d'autrui, et si c'est mon pardon que vous espérez obtenir, n'y comptez pas !

— Ce que j'ai à dire ne se rapporte pas à moi, mais à vous.

— Vraiment ? observa Nick. Et de quoi s'agit-il ?

Malgré son ton détaché, Sara sentit que sa curiosité était éveillée. Elle ramassa quelques-unes des feuilles tombées par terre et alla les brandir sous le nez de Nick en expliquant :

— Votre roman est excellent. L'histoire m'a captivée au point que, même si vous aviez gardé vos chaussures, je ne vous aurais pas entendu arriver. Vos autres manuscrits sont sûrement aussi bons, alors pourquoi ne pas les avoir envoyés à un éditeur ?

— Vous êtes décidément incorrigible ! Ce que je fais ou ne fais pas de mes œuvres ne vous regarde en rien !

— Mais c'est tellement dommage...

— Bon, puisque vous refusez de comprendre, je vais mettre les points sur les i...

Nick s'approcha du bureau, traça de l'index une ligne imaginaire devant ses pieds et reprit :

— Il y a une frontière, ici. Vous ne la voyez peut-être pas, mais elle n'en est pas moins réelle. Il vous est interdit de la franchir, et si vous croyez que vos flatteries me convaincront de vous y autoriser, vous vous trompez lourdement !

— Ce n'était pas du tout mon but.

— Je suis sûr que si. Vous ne pouvez pas vous empêcher de vous ingérer dans les affaires des autres. Vous voulez influer sur leur destin, jouer les deus ex machina, parce que cela vous apporte un agréable sentiment de puissance. Eh bien, désolé, mais je ne vous donnerai pas cette satisfaction. Je n'écris que pour moi, et je me moque de savoir ce que vous pensez du manuscrit que vous avez eu le culot de lire derrière mon dos !

— Aucun auteur n'écrit que pour lui, et je suis certaine qu'un éditeur…

— Ça suffit ! Nous avons conclu un marché, jeudi dernier, et je tiendrai mes engagements malgré ce qui vient de se passer. Nous allons finir les travaux, mes amis et moi, et si vous ne retournez pas ensuite en Floride, là où est votre vraie place, c'est moi qui partirai !

Le ton menaçant de Nick et ses poings serrés persuadèrent Sara de battre en retraite. Elle se dirigea vers la porte, mais il n'en avait pas encore terminé :

— Un dernier conseil… Ne remettez plus les pieds dans cette pièce, et évitez aussi de croiser mon chemin, sinon…

— Nick ! Descends vite !

C'était Brody, et la jeune femme se félicita de cette diversion. Nick la contourna, sortit dans le couloir et cria :

— Quoi ? Qu'y a-t-il ?

— J'ai ton père au téléphone ! Il veut te parler.

Il s'éloigna en courant et, pendant que Sara retournait dans sa chambre, la voix de Nick résonna dans la cage d'escalier :

— Papa ? Que se passe-t-il ?... Oh ! mon Dieu ! J'avais complètement oublié !

Sara ne revit pas Nick de la journée. Il n'alla pas aider ses compagnons à décharger les fournitures commandées par Brody et ne se montra pas non plus quand le bateau de Winkleman arriva avec une cargaison d'épicerie et une grosse enveloppe de la FedEx envoyée par Candy. Winkleman apportait aussi un paquet long et étroit, enveloppé dans du papier kraft et sur lequel s'inscrivait en grosses lettres le nom de Nick. En l'absence de son destinataire, le colis fut remis à Ryan.

Plus tard dans l'après-midi, Sara entendit ce dernier parler à Nick dans la cour. Elle alla se poster à la fenêtre et le vit tendre le paquet à son ami.

— Tu n'as qu'à le poser dans le vestibule, déclara Nick d'un ton brusque avant de monter s'enfermer dans sa chambre.

Quand la jeune femme descendit au rez-de-chaussée pour se faire à dîner, le mystérieux colis était toujours sur le bureau de la réception. Elle s'en approcha. L'étiquette collée dessus disait : « Bar des Pêcheurs, aux bons soins d'Otto Winkleman, Put-in-Bay, Ohio ».

Winkleman jouant les facteurs pour les habitants de Thorne Island, il n'y avait rien de surprenant là-dedans. Ce qui étonna Sara, en revanche, ce fut le lieu d'expédition — Johannesburg, en Afrique du Sud. Le tampon d'une compagnie d'assurances britannique indiquait en outre que le contenu du paquet avait de la valeur.

L'incident du matin lui avait cependant servi de leçon. Elle passa son chemin, se rendit dans la cuisine et se prépara un dîner qu'elle emporta ensuite sur la terrasse. Quelques minutes plus tard, Ryan déboucha du sentier qui menait aux vignes. Il s'approcha de Sara, le visage souriant, et elle lui demanda :

— Alors, comment se porte notre raisin, ce soir ?

— Bien. L'engrais que nous avons mis commence déjà à produire de l'effet.

Bien qu'elle en mourût d'envie, elle ne posa pas de questions sur le colis de Nick, mais Ryan aborda le sujet de lui-même :

— Je vais aller voir si Nick s'est décidé à monter ce paquet dans sa chambre. Je crois savoir ce qu'il y a dedans, et même s'il peut faire confiance à tout le monde, ici, il ne devrait pas le laisser dans le vestibule.

— Je ne suis pas sûre qu'il puisse faire confiance à tout le monde, dit Sara qui ne cessait depuis le matin de se reprocher son indiscrétion.

Ryan la regarda d'un air perplexe — Nick n'avait donc pas raconté aux autres ce qui s'était passé —, puis il déclara :

— C'est un cadeau de sa mère.

— Un cadeau ?

— Oui, c'est aujourd'hui son anniversaire.

D'où le coup de téléphone du père de Nick, plus tôt dans la journée..., songea la jeune femme. Elle l'avait cru seul au monde, ou brouillé avec sa famille, mais il avait des parents qui pensaient à lui, et peut-être même une ribambelle de frères, de sœurs et de cousins... Sa réclusion volontaire n'en était que plus mystérieuse.

— J'imagine que vous ne fêtez pas les anniversaires, à Thorne Island ? observa-t-elle.

— Non, répondit Ryan. Les jours s'y ressemblent tous.

Il n'y avait pas d'amertume dans sa voix, mais Sara y perçut malgré tout un peu de mélancolie. Comme pour s'en excuser, il lui adressa un nouveau sourire avant de la contourner et de disparaître à l'intérieur de la maison.

Sara fouilla tous les placards de la cuisine à la recherche des ingrédients nécessaires pour confectionner un gâteau. Elle ne trouva ni farine ni sucre, ce qui rendait son projet pratiquement irréalisable, et, en désespoir de cause, elle sortit du réfrigérateur la barquette de crème au chocolat allégée incluse dans sa dernière commande d'épicerie. C'était la seule concession que le souci de sa ligne acceptait de faire à sa gourmandise naturelle — avec, bien sûr, les gaufrettes à la vanille qui devaient impérativement l'accompagner.

Dans un meuble plein de vieux ustensiles, elle découvrit un moule à manqué. Après l'avoir soigneusement lavé, elle tapissa les parois de gaufrettes, remplit le milieu de crème au chocolat, puis planta au centre une grosse bougie d'éclairage.

Ce gâteau d'anniversaire sentait l'improvisation, mais Sara y voyait un moyen de réparer la cassure qui s'était produite dans ses relations avec Nick. Se rappelant avoir vu une boîte à couture dans le salon, elle alla la chercher et finit par y dénicher un petit morceau de ruban rose. Elle le noua autour d'une cuillère et monta l'escalier sur la pointe des pieds. La porte de Nick était fermée, mais le bas du vantail laissait filtrer un rai de lumière.

Sara posa le moule par terre, cala la cuillère sur le bord, puis alluma la bougie et frappa à la porte. Comme un garnement qui viendrait de se pendre à une sonnette pour faire une farce, elle courut ensuite se réfugier dans la cachette la plus proche — la chambre voisine, en l'occurrence — afin d'assister sans être vue à la suite des événements.

Rien ne se passant, elle craignit que la bougie ne tombe et ne provoque un incendie. Le bruit de la porte de Nick qui s'ouvrait et se refermait lui parvint finalement, mais il pouvait aussi bien avoir pris le gâteau que signifié son refus de toute réconciliation en le laissant là...

Un coup d'œil furtif dans le couloir rassura la jeune femme : son offrande propitiatoire avait été acceptée.

« Mission accomplie ! » se dit-elle, le sourire aux lèvres, avant de sortir tout doucement de la pièce et de gagner sa chambre.

14.

Quand Nick se réveilla, le lendemain matin, sa première pensée fut pour Sara. Un sourire se forma sur ses lèvres, tandis qu'une onde tiède se répandait dans ses veines. Ces réactions de plaisir étaient cependant si contraires à sa volonté de rester fâché contre la jeune femme qu'il y coupa court en donnant un violent coup de poing dans son oreiller.

Pour rallumer le feu de sa colère, il passa en revue les raisons qu'il avait de lui en vouloir : elle s'était sournoisement introduite dans son domaine privé, elle avait lu son roman en cours et s'était en plus permis de lui conseiller d'envoyer les autres à un éditeur... De quoi se mêlait-elle ? Il n'avait pas envie de les publier, pas maintenant, tout du moins, parce que cela lui créerait des obligations qu'il ne se sentait pas encore prêt à assumer. Le fait de les écrire suffisait pour l'instant à son bonheur, et c'était à lui, en tant qu'auteur, de décider de leur devenir, non ?

Après le coup de téléphone de son père, Nick était remonté dans sa chambre. Le plancher était jonché de feuilles, qu'il avait ramassées, reclassées, puis remises dans leur boîte.

L'ordre était ce dont il avait le plus besoin, et il n'avait pas ménagé ses efforts pour le rétablir dans une vie totalement bouleversée par le scandale qu'il avait révélé, six ans plus tôt. Il n'avait pourtant fait que son travail, et rien ne pouvait laisser prévoir comment les choses tourneraient le jour où son rédacteur en chef l'avait envoyé chez un certain Ben Crawford, à Brewster Falls. L'histoire qu'avait à raconter Millicent Thorne était au contraire apparue au journaliste d'investigation Nick Romano comme une chance, une merveilleuse occasion de défendre les petits contre les abus des puissants.

Même s'il n'y avait pas retrouvé l'usage normal de sa jambe, Thorne Island lui avait permis de s'installer dans une nouvelle existence, dont la simplicité et la régularité le rassuraient. Mais voilà qu'un autre membre de la famille Crawford venait troubler l'équilibre de cette vie bien réglée ! En dix jours, Sara avait balayé six années d'habitudes patiemment acquises, réveillé en lui des émotions oubliées et, pire encore, forcé la porte de son jardin secret : elle avait découvert Ivan Banning, l'homme que Nick ne serait plus jamais.

Une fois sa chambre rangée, il était allé s'isoler de l'autre côté de l'île, sur une plage qu'il aimait particulièrement. Il avait réfléchi à ce que Sara avait fait, et résolu de cesser toutes relations avec elle.

Il lui fallait pourtant livrer ce matin un nouveau combat, à cause de ce gâteau d'anniversaire laissé la veille devant sa porte. Chaque fois qu'il y repensait, le même sourire lui montait aux lèvres, la même onde tiède le parcourait, si bien qu'il finit par capituler : Sara avait gagné, il était prêt à lui pardonner.

La porte de la jeune femme était encore fermée quand Nick descendit au rez-de-chaussée pour remettre le groupe électrogène en marche et préparer le café. A peine sa première tasse terminée, il entendit ses compagnons entrer dans la cour. Il en but une deuxième, puis monta au premier étage. Il était encore dans l'escalier lorsque des éclats de voix lui parvinrent, venant de l'une des chambres.

— Je t'interdis de percer des trous dans les murs ! était en train de crier Dexter. Ça va bousiller ma peinture !

— Toi et ta chère peinture…, répliqua Brody. Tu auras quelques retouches à effectuer quand j'aurai fini, et alors ? Ce n'est pas grand-chose, comparé au risque de court-circuit que mon travail à moi va permettre d'éliminer !

— Tu n'es qu'un idiot ! Tu aurais dû le faire avant que je repeigne.

— Je ne pouvais pas : les fournitures que je voulais n'étaient pas encore arrivées, à ce moment-là ! De toute façon, j'ai juste besoin d'enlever les vieilles baguettes, de vérifier l'état des fils, d'en tirer un pour les ventilateurs et de mettre ensuite le tout sous gaine… Ça ne causera pas beaucoup de dégâts.

— Que tu dis ! Et je te préviens : si tu touches à mes murs, c'est toi qui replâtreras et qui repeindras derrière !

— Certainement pas ! J'ai accepté de me charger de l'électricité, mais ma mission s'arrête là. Ni toi ni personne ne m'empêchera cependant de l'accomplir dans les règles de l'art !

A présent debout sur le seuil, Nick n'en croyait pas ses oreilles. Quelques jours plus tôt seulement, ces deux mêmes hommes avaient trouvé complètement saugrenue l'idée de rénover le Cozy Cove, et voilà maintenant qu'ils prenaient leurs tâches respectives à cœur au point de se disputer comme des gamins dans une cour d'école !

Nick entra dans la pièce, posa une main sur l'épaule de chacun des belligérants et déclara :

— Arrêtez de vous chamailler ! Il y a sûrement un moyen de régler le problème à l'amiable.

Malgré tous ses efforts, il ne put réprimer un sourire amusé, et ses interlocuteurs lui jetèrent un regard courroucé, l'air de se demander lequel des deux allait le frapper le premier.

— Je crois que j'ai la solution, continua Nick. Toi, Dexter, tu vas aider Brody à effectuer ses travaux d'électricité, et toi, Brody, tu aideras ensuite Dexter à réparer les petits dommages que tu auras causés à sa peinture.

— Ah oui ? s'écria Brody. Et toi, à quoi t'occuperas-tu, pendant ce temps ?

— C'est vrai, observa Dexter. A part te promener en voiture et boucher quelques fuites dans le toit, tu n'as pas fait grand-chose, depuis le début du chantier !

— Ma contribution a des effets moins visibles que la vôtre, mais elle est tout aussi importante, rétorqua Nick. Je suis le cerveau de l'opération : c'est moi qui en ai eu l'idée, je l'ai ensuite supervisée, et ce matin, je joue les médiateurs… Ce sont des tâches aussi difficiles qu'indispensables.

— Tu cherches surtout à te fatiguer le moins possible ! s'exclama Brody. Mais ça vaut peut-être mieux, finalement : tout ce que tu aurais fait aurait été à refaire, et ainsi, nous ne perdrons pas de temps à repasser derrière toi… Laisse-nous travailler, maintenant !

— Oui, renchérit Dexter, va tenir compagnie à Ryan ! Il doit s'ennuyer, tout seul.

— Où est-il ? demanda Nick.

— Sous la véranda, en train de traiter le plancher et les poutres.

— D'accord, j'y vais, mais avant de partir, je voudrais vous féliciter tous les deux pour votre conscience professionnelle.

Un sourire apparut sur les lèvres de Dexter, mais s'effaça lorsque Brody déclara d'un ton sec :

— On t'a assez vu, Nick ! Dégage !

— Oui, tu nous as déjà assez retardés comme ça, souligna Dexter.

Rien de tel qu'un ennemi commun pour transformer des adversaires en alliés, pensa Nick avec un petit rire silencieux.

Il redescendit au rez-de-chaussée et trouva Ryan juché sur une échelle, un pinceau à la main.

— Brody et Dexter m'envoient te tenir compagnie, annonça-t-il, mais je peux peut-être t'aider, en plus ?

— Merci, mais je n'ai pas besoin d'aide, et de compagnie non plus : ça me distrairait.

— Comme tu voudras.

Nick sortit de la véranda, contourna la maison et partit à la recherche d'un endroit tranquille. Il devait réfléchir à ce qu'il allait dire à Sara pour lui signifier son pardon sans perdre la face pour autant.

Ses pas le menèrent à l'ancien pressoir. La porte n'était pas fermée à clé, ce qui le surprit. L'un de ses compagnons était-il venu y chercher quelque chose depuis le jour où Sara avait demandé à le visiter, ou bien y était-elle retournée pour en admirer de nouveau le contenu ? Il promena son regard sur les objets soit rouillés, soit moisis, qui l'avaient tant fascinée, et une idée lui vint soudain.

Il regagna le Cozy Cove et déclara à Ryan, toujours perché sur son échelle :

— Tu as fini de réparer le plancher, n'est-ce pas ?

— Oui.

— Alors je peux prendre un peu du bois de charpente qui reste ?

— Vas-y, sers-toi !

C'est avec de quoi s'occuper les mains en plus de l'esprit que Nick cette fois quitta la véranda.

Quand Nick sortit du pressoir, deux heures plus tard, il fut ébloui par l'éclat du soleil et dut se protéger les yeux pour scruter les alentours. La silhouette de Sara finit par lui apparaître entre deux rangs de vignes, et il se dirigea vers elle.

Sa hâte de lui parler ne l'empêcha pas de remarquer en chemin les changements qui s'étaient produits dans le vignoble : les feuilles étaient plus larges et plus vertes, les grappes de raisin, quoique peu nombreuses, avaient grossi... Sara pouvait être fière de son œuvre.

Absorbée par le trou qu'elle était en train de creuser autour d'un cep, elle ne l'entendit pas arriver, si bien qu'il eut tout le loisir de l'observer... et de se rendre compte qu'elle s'y prenait très mal : la quantité de terre ramenée par chacun de ses coups de pelle était ridiculement faible.

Il s'arrêta à quelques mètres d'elle et attendit qu'elle s'aperçoive de sa présence, mais au bout d'un moment, comme rien ne se passait, il demanda :

— A quoi va servir ce trou ?

Elle poussa un cri et leva vivement la tête tandis que la pelle lui échappait des mains.

— Je manque avoir une crise cardiaque à chacune de vos apparitions ! s'exclama-t-elle. Vous le faites exprès, ou quoi ?

— Pas du tout. Excusez-moi.

— Et pourquoi me posez-vous cette question, d'ailleurs ? La réponse ne vous intéresse pas !

— Vous cherchez le trésor de Thorne Island ?

— Non, et ce trou n'est pas non plus destiné à me servir de tombe. Vous l'espériez peut-être, mais il n'est pas assez profond.

— Je n'en suis pas certain : vous n'êtes pas très épaisse.

— Désolée de vous décevoir, mais tous les projets que j'ai pour cette île me donneront sûrement le ressort nécessaire pour vivre centenaire... Allez-vous-en, maintenant ! J'ai trop de travail ce matin pour perdre mon temps à bavarder avec vous !

Sur ces mots, Sara ramassa la pelle, puis, comme Nick ne bougeait pas, elle observa :

— Vous attendez pour partir de savoir ce que je suis en train de faire ? Eh bien, j'aère le sol au pied des ceps afin de faciliter le drainage.

— Je vais vous aider, déclara Nick en s'emparant d'autorité de la pelle. Je voulais être certain, avant de vous le proposer, que ce n'était pas ma tombe à moi que vous creusiez.

— Non, je laisse ce soin à la prochaine personne que vous enverrez promener pour avoir osé vous dire que vous étiez peut-être bon à quelque chose !

Cette remarque raviva la colère de Nick et, de rage, il enfonça la pelle si violemment dans la terre qu'il en sentit le tranchant entailler une racine.

— Donnez-moi ça ! s'écria la jeune femme en lui reprenant l'outil. C'est un travail beaucoup trop délicat pour une brute comme vous.

— Je n'ai rien d'une brute, et vous savez très bien pourquoi je me suis fâché contre vous, hier : c'était à cause de votre intrusion dans ma vie privée, et non parce que vous m'aviez complimenté sur mon livre. Je ne vous l'ai pas montré, mais vos louanges m'ont flatté, en fait.

— Alors je préfère ne pas imaginer votre réaction si je vous avais critiqué !

Cette conversation ne se déroulait pas du tout comme Nick l'avait prévu, mais il trouvait les reproches de Sara si injustes qu'il ne put s'empêcher de répliquer :

— C'est moi l'offensé, dans cette histoire ! Vous n'aviez pas le droit d'entrer dans ma chambre et de...

— Je me suis excusée, que voulez-vous de plus ? Que je vous envoie une carte postale de l'enfer où m'auront envoyée toutes mes fautes envers vous ?

— Non, le gâteau d'anniversaire que vous m'avez préparé devrait vous éviter d'aller brûler en enfer, déclara Nick avec l'ombre d'un sourire.

L'expression de Sara s'adoucit, et elle esquissa elle aussi un sourire avant d'observer :

— Ce gâteau n'était pas très présentable, mais je n'avais rien de mieux à vous offrir.

— C'est l'intention qui compte, et j'étais justement venu vous annoncer que, dans ma grande bonté, j'avais décidé d'oublier l'incident d'hier matin.

— Vous auriez pu le dire tout de suite !

— J'attendais pour cela de vous sentir plus... réceptive.

— Je ne vous ai pas très bien accueilli, c'est vrai, mais vous m'aviez effrayée. Sans rancune ?

— Sans rancune. Venez, à présent ! J'ai quelque chose à vous montrer.

Sara suivit Nick jusqu'à l'ancien pressoir. Elle y était retournée plusieurs fois au cours de la semaine précédente, et chacune de ses visites lui avait rappelé pourquoi elle travaillait si dur à la remise en culture des vignes.

Une fois à l'intérieur, Nick l'entraîna vers l'escalier de la cave. Une lampe à pétrole allumée était posée à côté. Il la souleva et la tint au-dessus du vide.

— Alors, qu'en pensez-vous ? demanda-t-il.

La jeune femme se pencha et vit que des pièces de bois clair se mêlaient maintenant aux vieilles planches noires des marches.

— Vous avez réparé l'escalier ! s'écria-t-elle en se redressant.

— Oui. Vous aviez tellement envie d'aller au sous-sol, l'autre jour, que vous auriez sûrement fini par le faire malgré le danger. J'ai donc pris les mesures nécessaires pour vous éviter de vous rompre le cou dans cet escalier le jour où vous auriez la stupidité de vous y aventurer.

— Je suis touchée, même si le motif de votre prévenance n'est guère flatteur pour moi… Vous croyez vraiment que j'aurais risqué ma vie pour le seul plaisir d'admirer de vieux tonneaux et des bouteilles poussiéreuses ? Vous m'aviez dit qu'il n'y avait rien d'intéressant dans cette pièce !

— Vous ne m'avez jamais donné l'impression de vous fier à l'opinion des autres, et surtout pas à la mienne !

— Je vais vous prouver que si : je vous fais confiance au point de ne descendre ces marches que si vous m'en garantissez la solidité.

En guise de réponse, Nick s'engagea dans l'escalier et, arrivé en bas, il déclara d'une voix triomphante :

— Voilà ! Vous êtes rassurée, maintenant ?

— Oui. Je vous rejoins.

La cave était une petite salle rectangulaire aux murs de pierre calcaire. Sa température était d'au moins dix degrés inférieure à celle du pressoir, et Sara frissonna.

— Il fait toujours aussi froid, ici ? demanda-t-elle.

— Oui, j'imagine. C'est sans doute dû aux effets conjugués du calcaire et de l'obscurité. La viniculture est cependant votre domaine, pas le mien... Vous trouvez la température trop basse pour que la fermentation ait lieu dans de bonnes conditions ?

— Non, elle est au contraire idéale, et particulièrement pour le vin blanc.

Nick suspendit la lampe à un crochet fixé au plafond. Des tonneaux posés sur des madriers surgirent dans la lumière ; il y en avait de différentes tailles, mais ils étaient tous en chêne et portaient l'estampille de fabricants français. Sara alla en caresser le bois sombre, où la présence de stries plus foncées témoignait d'un vieillissement naturel.

Le long des murs s'alignaient des rangées de porte-bouteilles, de siphons et de bouchons que Sara n'osa même pas toucher tant ils paraissaient friables.

Sa petite tournée d'inspection terminée, elle rejoignit Nick. Il se tenait au milieu de la pièce et la fixait avec une telle intensité qu'elle se sentit gênée, mais son excitation l'emporta vite sur son embarras, et elle s'écria :

— Vous vous rendez compte, Nick ? C'est ici que les Kraus ont fait du vin pendant plus d'un siècle !

— Dans les mêmes tonneaux ?

— Probablement, et le chardonnay que vous avez trouvé dans la cave de l'hôtel a sûrement vieilli dans cette pièce. Il suffit de remplir un tonneau juste après l'avoir vidé pour empêcher les micro-organismes dangereux de s'y développer.

— Et s'il reste vide trop longtemps ?

— Alors il vaut mieux ne pas s'en resservir.

— Vous avez l'intention de mettre le jus de votre raisin dans ceux-là, le moment venu ?

Sara alla retirer la bonde d'un petit tonneau, huma l'intérieur… et se recula vivement.

— Non, ils sont inutilisables, annonça-t-elle. Il faudra que je les remplace par des neufs.

— Vous m'en voyez soulagé.

— Je les transformerai en bacs à fleurs et je les disposerai le long de la façade du Cozy Cove. Ce sera très joli.

— Faire du neuf avec du vieux est l'une de vos marottes, décidément !

— Oui, mais je n'y parviens pas toujours. Avec vous, par exemple, je ne suis arrivée à rien… Si nous remontions, à présent ? Je suis frigorifiée.

La jeune femme esquissa un pas vers l'escalier, mais Nick la retint par le bras.

— Je connais un excellent moyen de se réchauffer, déclara-t-il.

— Ah oui ? Lequel ? demanda Sara.

— Celui-ci, répondit-il en l'enlaçant et en la serrant contre lui. C'est un système de chauffage naturel que les gens utilisaient beaucoup, autrefois.

Contre toute prudence, Sara s'abandonna au plaisir de sentir la chaleur de Nick l'envelopper.

— La différence, c'est que ces gens devaient bien s'aimer, jugea-t-elle néanmoins nécessaire de souligner.

— Pourquoi dites-vous cela ? Je vous aime bien, et je suis sûr que vous m'aimez bien, au fond, sinon vous ne déploieriez pas tant d'efforts pour me changer.

— J'y ai renoncé. Vous avez la tête encore plus dure que moi, et j'aurais dû me rendre compte dès le début que je livrais là un combat perdu d'avance.

— Vous m'acceptez donc tel que je suis ? Tant mieux, parce que vous me convenez parfaitement telle que vous êtes, vous aussi... J'adore vos cheveux... vos oreilles... votre nez...

Tout en parlant, Nick avait pris le visage de Sara entre ses mains, et déposé un baiser sur chacun des éléments de son énumération.

— Et cette bouche..., continua-t-il en effleurant du pouce les lèvres de la jeune femme. Il en sort beaucoup de mots, mais elle est faite pour embrasser, et le souvenir des baisers qu'elle m'a donnés, l'envie d'en goûter d'autres m'empêchent de dormir la nuit.

— Arrêtez ! Il ne faut pas, murmura Sara.

Mais ses protestations manquaient de conviction, et Nick dut s'en apercevoir car il les ignora : du bout de la langue, il se mit à suivre le contour de ses lèvres jusqu'à ce qu'elle interrompe cette délicieuse torture en ouvrant la bouche pour leur permettre à tous les deux de satisfaire leur désir.

Ils s'embrassèrent longuement, fougueusement, puis les lèvres de Nick descendirent le long du cou de Sara, traçant un sillon de feu sur leur passage. Quand le haut de son chemisier les arrêta, il s'écarta juste le temps de le déboutonner et de le lui enlever. La jeune femme rejeta la tête en arrière, les yeux clos, et Nick referma la main sur un sein dont la pointe se durcit aussitôt sous la fine dentelle du soutien-gorge. Il se débarrassa de cette dernière barrière, et Sara sentit toutes les fibres de son corps vibrer lorsqu'il couvrit sa peau nue de caresses et de baisers avides.

Leurs bouches s'unirent de nouveau, mais alors que la force de leur passion semblait avoir atteint le point de non-retour, Nick rompit leur étreinte et déclara d'une voix rauque :

— Nous ne pouvons pas faire l'amour ici, mais si nous attendons trop, je vais devenir fou.

Sara devait déjà avoir perdu la tête, car elle aurait été prête, elle, à faire l'amour avec Nick allongée sur le sol froid, ou debout contre un tonneau. Elle surmonta cependant sa frustration et demanda :

— Quand ? Où ?

— Ce soir. Nous allons nous offrir une petite sortie.

— Une sortie ? Nous irons à Put-in-Bay, alors ?

— Bien sûr que non ! Nous resterons à Thorne Island.

— Je n'y ai vu ni restaurant ni cinéma !

— Je vous trouve bien conventionnelle.

— Mais...

— Ne me posez pas de questions : laissez-moi vous surprendre. Je viendrai frapper à votre porte à 19 heures, d'accord ?

— D'accord.

Dans l'état quasi second où elle était, Sara aurait souscrit au projet le plus fou du moment qu'il lui permettait de passer la soirée avec Nick. Elle se rhabilla rapidement car l'air glacé commençait à la transpercer, puis Nick décrocha la lampe à pétrole. Elle se dirigea à sa suite vers l'escalier, mais avant de s'y engager, il se retourna pour lui dire avec un sourire enjôleur :

— J'espère qu'il y a encore de l'essence dans le réservoir de votre Coccinelle, parce que nous en aurons besoin.

15.

En début d'après-midi, Winkleman apporta un complément de matériel électrique commandé par Brody, ainsi qu'une grosse enveloppe destinée à Sara et contenant des dossiers de clients à traiter. A 14 heures, elle était dans sa chambre, devant un écran d'ordinateur rempli de colonnes de chiffres, mais elle avait du mal à atteindre le degré d'attention nécessaire pour continuer de gagner le salaire pourtant indispensable au renflouement de son compte en banque — elle venait de dépenser en dix jours presque autant d'argent que lui coûtaient en un an son loyer et ses impôts réunis.

Si le bruit des travaux en cours au Cozy Cove ne l'avait pas déjà distraite, la perspective de son rendez-vous du soir aurait suffi à la déconcentrer. Elle aurait voulu pouvoir se dire qu'elle avait accepté cette invitation dans un moment d'égarement passager, mais c'était faux : plusieurs heures après ces instants de sensualité débridée dans le sous-sol du pressoir, alors que son excitation aurait dû logiquement retomber et sa raison reprendre le dessus, toutes ses pensées étaient encore tournées vers Nick et l'occasion qu'ils auraient bientôt de se retrouver en tête à tête. Il se passait entre eux quelque chose de très fort, qu'elle ne comprenait pas mais dont il ne lui était plus possible de nier la réalité.

Sara mordilla le bout de son crayon et s'obligea à réfléchir. Même si elle connaissait avec Nick une nuit d'amour inoubliable, où cela la mènerait-il ? Son envie de prolonger indéfiniment son séjour à Thorne Island était irréalisable : elle devait retourner à Fort Lauderdale ; sa situation financière lui interdisait de rester sans emploi fixe le temps qu'il faudrait à l'hôtel pour produire des bénéfices.

Et Nick, de son côté, n'avait pas la moindre intention de quitter sa retraite. Il s'était récrié quand elle avait parlé d'aller à Put-in-Bay juste pour une soirée, alors inutile d'espérer qu'il la suivrait en Floride... Leur relation n'avait donc aucun avenir : deux personnes aux caractères opposés, aux objectifs radicalement différents, et habitant en outre à des milliers de kilomètres l'une de l'autre, ne pouvaient rien bâtir ensemble.

« C'est mieux ainsi, songea-t-elle. Tu ne serais pas heureuse avec lui. Nous n'arrêtons pas de nous disputer, et au bout de quelques mois de vie commune sur cette île minuscule, nous finirions par nous détester. »

Elle en était là de ses réflexions lorsque son portable sonna.

— Bonjour, Sara ! C'est moi !

— Bonjour, Candy... Toujours pas de problèmes, au bureau ?

— Non. J'ai juste une ou deux choses à vous préciser au sujet de mon dernier envoi... Vous l'avez bien reçu ?

— Oui, je l'ai eu en début d'après-midi. Je vous écoute.

La quincaillerie Mickelson et la chaîne de teintureries Klingman exigeaient que leur bilan trimestriel leur soit remis le jeudi suivant — trois jours avant l'échéance normale —, apprit Sara. Cela allait l'obliger à passer tout l'après-midi devant son ordinateur, mais elle n'avait pas le choix.

— C'est tout ? demanda-t-elle ensuite.

— Eh bien, je vous ai dit tout à l'heure qu'il n'y avait pas de problèmes au bureau, mais...

— Mais ?

— M. Bosch m'a demandé ce matin quand vous reveniez. Je crois qu'il commence à trouver votre absence un peu longue.

Ce n'était pas le moment de contrarier son patron, pensa Sara, et il avait de toute façon le droit de connaître la date exacte de son retour. Elle la fixa au mardi suivant, en espérant que cela lui laisserait le temps de s'occuper de tout ce qu'il lui restait à faire sur l'île : superviser la fin des travaux du Cozy Cove, passer une petite annonce dans le journal de Sandusky afin de trouver un gérant pour diriger l'hôtel à sa place, concevoir un prospectus et en tirer suffisamment d'exemplaires pour l'envoyer à tous les offices de tourisme d'Ohio, choisir et commander la literie des chambres, laisser à Ryan des instructions pour les vendanges...

Non, à bien y réfléchir, une semaine ne lui suffirait pas. Il lui fallait de l'aide.

— Sara ? Vous êtes toujours là ?

La voix de sa secrétaire la ramena au présent... et lui donna une idée.

— Oui, je suis toujours là... Dites-moi, Candy, vous êtes libre, ce week-end ?

— Je n'ai rien prévu de particulier.

— Alors je vous invite à le passer avec moi sur le lac Erié.

— Mais je vous croyais à Cleveland !

— Non, je suis sur une île héritée d'une parente, et pour laquelle j'ai de grands projets, mais je n'aurai pas le temps d'organiser seule leur mise en route avant mardi prochain... Bref, j'ai besoin de vous.

— Vous avez hérité d'une île ? C'est génial !

— Je suis du même avis, mais que pensez-vous de ma proposition ?

— Je l'accepte, bien sûr !

— Alors je vais vous dicter le numéro de ma carte bancaire. Vous téléphonerez ensuite à mon agence de voyages et vous vous achèterez un billet aller-retour pour Cleveland. Là, vous louerez une voiture — toujours à mes frais, naturellement —, et vous viendrez me rejoindre après avoir fait une petite halte en chemin... Je vous rappellerai dans le courant de la semaine pour vous indiquer l'itinéraire.

— Entendu. J'ai hâte de vous voir !

— Moi aussi. A bientôt, Candy, dit-elle après lui avoir donné le numéro de sa carte bancaire.

Sara coupa la communication et se renversa dans son fauteuil, le sourire aux lèvres. Plusieurs heures de travail ennuyeux l'attendaient, mais elle était maintenant sûre que toutes les tâches matérielles à accomplir avant son départ de Thorne Island le seraient, et c'était l'essentiel.

Les aiguilles de son réveil n'avançaient pas assez vite au goût de Sara. Elle s'était douchée, légèrement maquillée, et brossé les cheveux jusqu'à ce qu'ils retombent en vagues à peu près disciplinées sur ses épaules. Le choix de sa tenue avait été plus difficile : que porter pour aller à un rendez-vous aussi mystérieux ? Elle avait fini par mettre une jupe à fleurs, un haut blanc, une veste de toile verte à manches courtes et ses sandales les plus habillées. Les habits qu'elle avait placés dans sa valise à Fort Lauderdale ne lui permettaient pas de faire mieux.

L'air doux qui entrait par la fenêtre ouverte annonçait une belle soirée. Sara alla s'en remplir les poumons, mais cela ne suffit pas à calmer son impatience.

A vingt-neuf ans, elle n'était plus une adolescente naïve se demandant ce que lui réservait sa première sortie avec le garçon dont elle s'était entichée. Elle savait exactement à quoi s'attendre et s'en réjouissait à l'avance : dans quelques heures, Nick et elle seraient unis dans la plus intime des étreintes. De son séjour à Thorne Island, elle ne rapporterait pas seulement des ampoules aux mains et un grand trou dans ses économies, mais aussi le souvenir d'une nuit passée dans les bras du beau Nick Bass.

— Sara ? Vous êtes prête ?

La voix chaude et grave de Nick, derrière la porte, fit frissonner la jeune femme de la tête aux pieds. Elle courut lui ouvrir et nota d'abord qu'il portait un pantalon de toile grise simple mais bien repassé, et une chemise blanche à fines rayures bleu marine. C'était la première fois qu'elle le voyait dans des vêtements qui n'avaient pas l'air de lui avoir servi trois fois par semaine au cours des six dernières années.

Elle remarqua ensuite le petit bouquet de fleurs sauvages qu'il tenait à la main… La soirée était à peine commencée, et elle était déjà subjuguée.

Nick faillit inventer une excuse pour retourner dans sa chambre et y abandonner les fleurs cueillies une heure plus tôt dans le jardin. Il l'aurait certainement fait si Sara ne les avait pas vues, car sa beauté rayonnante méritait mieux que ce pauvre bouquet, mais il n'avait pas été assez rapide : elle tendait déjà la main pour les prendre et, bizarrement, avec un sourire qui n'aurait pas exprimé plus de ravissement s'il lui avait offert deux douzaines de roses rouges.

— Elles sont magnifiques, déclara-t-elle avant d'aller les mettre dans le verre d'eau posé sur la table de chevet.

Chacun de ses pas faisait danser ses cheveux blonds dans son dos et sa jupe en tissu léger autour de ses jambes fines. Elle était si gracieuse, si féminine, que Nick regretta presque de lui avoir proposé de sortir : il avait envie de courir la rejoindre près du lit, de l'y allonger, de lui arracher ses vêtements...

La force de son désir l'effraya, et il lui fallut fournir un gros effort de volonté pour se ressaisir. Sa voix étranglée trahissait cependant encore son émoi quand il prononça ses premières paroles depuis son entrée dans la pièce :

— Vous êtes ravissante, Sara.

— Merci. Et vous n'êtes pas mal non plus. J'aime bien votre chemise.

— C'est le cadeau d'anniversaire de mon père. Elle n'est pas vraiment adaptée à mon style de vie, mais quand je l'aurai portée et lavée une centaine de fois, je devrais commencer à me sentir à l'aise dedans.

— A propos de cadeau d'anniversaire, je ne voudrais pas vous paraître indiscrète, mais...

— Vous, indiscrète ?

— Rien ne vous oblige à me répondre, mais je peux au moins vous poser la question... Que vous a envoyé votre mère ? J'ai appris par Ryan que le colis arrivé hier pour vous venait d'elle.

— Je ne l'ai pas encore ouvert.

— Vous n'êtes donc pas curieux de savoir ce qu'il y a dedans ?

— Je ne suis pas curieux de nature, mais comme vous l'êtes, vous, je vous laisserai tout à l'heure le plaisir d'ouvrir ce paquet.

— Vous êtes vraiment impossible ! s'écria Sara.

Elle fouilla ensuite dans son sac, en sortit les clés de la Volkswagen et les tendit à Nick en déclarant :

— Est-ce par nécessité, ou parce que vous avez envie de conduire, que vous voulez prendre la Coccinelle ?

— Dans la mesure où j'ai vécu six ans sur cette île sans voiture, nous pourrions nous en passer ce soir, mais puisque nous en avons une, autant en profiter.

— Où m'emmenez-vous ?

— Vous verrez !

Nick quitta la pièce derrière Sara et perçut alors le sillage d'un parfum qui lui rappela son enfance. Etait-ce une odeur de jasmin ? De violette ? Il n'aurait su le dire, mais il était sûr, s'il la sentait de nouveau, d'y reconnaître celle de sa fleur favorite.

Une fois dans la voiture, Nick s'engagea dans l'étroit sentier qui menait de l'autre côté de Thorne Island. Il s'arrêta tout au bout, devant la plage où il était allé s'isoler la veille. Les herbes hautes, les bouleaux et les pins qui la bordaient s'agitaient doucement dans la brise du soir, avec en fond sonore le murmure des vagues qui venaient mourir sur le rivage. C'était la partie de l'île que Nick préférait, et il espérait que Sara en apprécierait elle aussi la beauté.

Après l'avoir aidée à descendre de la Coccinelle, il prit sur la banquette arrière le panier d'osier qu'il y avait posé avant de partir.

— C'est très joli, ici, remarqua la jeune femme.

Le vent soulevait ses cheveux, découvrant un cou gracile et une nuque recouverte d'un fin duvet blond. Nick dut de nouveau réprimer un puissant élan de désir pour pouvoir dire sans bafouiller :

— Oui, j'aime bien cet endroit. Je le trouve reposant.

— Qu'y a-t-il dans votre panier ?

— De quoi fêter dignement notre premier rendez-vous, répondit-il en brandissant fièrement une bouteille de vin. Ce chardonnay fait partie de la meilleure cuvée produite par Millie.

Il sortit ensuite du panier deux verres en cristal et un tire-bouchon, déboucha la bouteille et remplit les verres. Sara prit celui qu'il lui tendait, et déclara :

— Je vous laisse porter le toast d'usage.

— Eh bien, si nous buvions en l'honneur de Millie, sans laquelle nous ne nous serions jamais rencontrés ?

— Oui, à tante Millie ! dit Sara en levant son verre.

Les yeux dans les yeux, ils trinquèrent, puis Nick vida le panier, qui contenait encore une boîte de crackers, un pot de guacamole et une couverture.

— Vous aviez des amuse-gueules en stock ? observa la jeune femme. Où les cachiez-vous ?

— Nulle part. C'est une commande spéciale, que Winkie m'a livrée en fin d'après-midi. Il fera bientôt la traversée trois fois par jour, et nous pourrons avoir pour le dîner des pizzas que nous aurons à peine besoin de réchauffer ! Mais avant de nous asseoir, je voudrais vous montrer la plus grande attraction touristique de Thorne Island.

— Il y en a donc plusieurs ?

— Deux, exactement : celle-ci, et la collection de vieux chapeaux de paille de Brody.

Nick emmena Sara jusqu'à une petite dépression entourée de roseaux. Une plaque de bronze en occupait le fond, gravée d'une inscription que le temps, le vent et l'eau avaient presque entièrement effacée.

Comme Nick s'y attendait, la jeune femme se pencha pour l'examiner. Tout ce qui était ancien l'intéressait.

— Je n'arrive à lire que trois mots : Commodore Oliver Perry, indiqua-t-elle. Ce nom me rappelle de vagues souvenirs de cours d'histoire, mais il va falloir que vous me rafraîchissiez la mémoire.

— C'était un officier de marine américain qui a joué un grand rôle dans la bataille du lac Erié de 1812.

— Pendant la seconde guerre d'indépendance ?

— Oui. Thorne Island a servi de poste d'observation aux hommes de Perry pour surveiller l'avancée des forces anglaises dans la partie est du lac et le sud du Canada.

— Cette plaque est superbe, mais je m'étonne qu'elle soit encore là.

— Pourquoi ?

— Parce que, à votre place, je l'aurais déterrée pour voir si le trésor de Thorne Island ne se cachait pas dessous.

— Nous l'avons fait, et même plusieurs fois, mais sans résultat. Et je vous l'ai déjà dit : nous rebouchons toujours nos trous.

Sara se redressa et demanda, mi-sérieuse, mi-ironique :

— Vous croyez vraiment à la réalité de ce trésor, Nick ?

— Je ne sais qu'une chose : tant que nous le chercherons, il existera. Allons finir la bouteille de chardonnay, maintenant ! Le dîner sera prêt dans une demi-heure.

— Où le prendrons-nous ?

— Dans le meilleur hôtel restaurant de l'île : le Cozy Cove.

La nuit était déjà tombée lorsqu'ils regagnèrent l'hôtel. Nick gara la Volkswagen et suivit Sara à l'intérieur. Elle nota que, contrairement à l'habitude, la porte de communication entre le vestibule et la salle à manger était fermée ; elle ne l'avait pas remarqué en descendant de sa chambre, tout à l'heure — pas plus que le papier collé au vantail et portant les mots : « Défense d'entrer ».

— Ce n'est plus utile, déclara Nick en l'enlevant. Je vais même vous donner l'ordre inverse : entrez !

Il ouvrit la porte et s'effaça pour laisser passer la jeune femme. La pièce dont elle franchit alors le seuil ne ressemblait plus du tout à celle où s'était tenue sa réception de l'avant-veille. D'immenses guirlandes lumineuses étaient accrochées aux murs, deux rennes de bois entourés de petites ampoules électriques clignotantes étaient installés de chaque côté de la porte, et deux jardins miniature éclairés de la même manière leur faisaient face.

— Où avez-vous trouvé tout ça ? demanda Sara, émerveillée.

— Dans le grenier, répondit Nick avec un grand sourire. Les Kraus étaient visiblement amateurs de curiosités en matière de décorations de Noël.

— Vous avez découvert celles-ci aujourd'hui ?

— Non, il y a plusieurs années, mais je ne pensais pas qu'elles me serviraient un jour.

— C'est une véritable féerie... Et ce service...

La jeune femme venait de tomber en arrêt devant les deux couverts disposés sur la table. Chacun d'eux comprenait cinq pièces de vaisselle, ornées de motifs floraux différents mais tous peints à la main.

— Les Kraus collectionnaient aussi les porcelaines ? reprit-elle.

— Apparemment, dit Nick en lui tirant une chaise.

— Si le dîner est à la hauteur du cadre, ce sera sûrement le meilleur que j'aurai jamais mangé.

— Vous ne serez pas déçue : le talent d'écrivain que vous avez la bonté de me reconnaître n'est rien comparé à ceux que je vais vous révéler ce soir.

Les joues de Sara s'empourprèrent, mais elle feignit de ne pas avoir perçu l'ambiguïté des paroles de Nick.

— Même si vous ne me serviez que des saucisses grillées et des haricots en conserve, observa-t-elle, le décor que vous avez composé suffirait à m'impressionner.

— Alors, toute modestie mise à part, vous n'avez pas fini de vous extasier !

Nick disparut dans la cuisine et en revint dix minutes plus tard avec un jambon cuit au four accompagné de tranches d'ananas et de pommes de terre nouvelles. D'un deuxième voyage il rapporta une jardinière de légumes, et d'un troisième un grand saladier de mesclun et des petits pains chauds.

Quand tous les plats furent sur la table, il s'assit et Sara le fixa d'un air perplexe. Nick Bass, le mangeur de salami, était-il vraiment capable de confectionner un tel festin ?

— Comment vous êtes-vous débrouillé pour faire ce repas ? déclara-t-elle.

— J'avais préparé à l'avance tout ce qui pouvait l'être, et mis le jambon à cuire juste avant de monter vous chercher. Simple question d'organisation.

— J'ai un peu de mal à vous croire, mais peu importe… Je suis trop impatiente de goûter à tous ces plats pour perdre mon temps à me demander d'où ils sortent.

La flamme des bougies plantées dans un candélabre en argent se refléta dans les yeux de Nick lorsqu'il se pencha vers Sara et posa la main sur la sienne.

— Ce que je vous réserve pour le dessert sera encore meilleur, annonça-t-il.

L'avant-goût qu'en avait eu Sara le matin même ne lui laissait aucun doute là-dessus.

A la fin du dîner, la jeune femme se proposa pour débarrasser la table.

— D'accord, dit Nick. Je vais allumer du feu dans la cheminée du salon, pendant ce temps, mais ne faites pas la vaisselle ! Je m'en occuperai demain.

— Entendu.

Sara souffla les bougies et empila les assiettes avec précaution de peur de les casser ; elles devaient avoir beaucoup de valeur. Elle alla les poser dans l'évier et les mit à tremper en songeant qu'aucun homme ne lui avait jamais offert soirée plus agréable : un apéritif sur une plage au soleil couchant, un succulent repas dans un magnifique décor et une ambiance gaie et détendue… Que demander de plus ? Un avenir pour leur relation, peut-être ? Mais c'était impossible, elle le savait et avait résolu d'oublier ce soir tout ce qui la séparait de Nick pour ne penser qu'à ce qui les rapprochait. L'espace d'une nuit, rien n'existerait plus que le moment présent.

Un bruit, dans le jardin, attira la jeune femme sur la terrasse. Elle scruta la pénombre et finit par apercevoir, à quelques mètres, un grand sac en papier rouge et blanc dans lequel un animal était en train de fouiller. Croyant qu'il s'agissait d'une belette ou d'un opossum, elle cria :

— Allez, ouste ! Va-t'en !

Un miaulement lui répondit, puis un chat gris s'enfuit, libérant le sac que le vent poussa jusqu'au pied de la terrasse. Sara se pencha, lut les mots imprimés dessus, et un petit rire silencieux lui secoua les épaules.

— J'aurais dû m'en douter, murmura-t-elle. Vous possédez peut-être de nombreux talents, monsieur Bass, mais quand vous voulez impressionner une femme en lui servant un bon repas, vous le commandez chez un traiteur...

Ce subterfuge, qui l'aurait sûrement indignée une semaine plus tôt, l'amusait beaucoup aujourd'hui, et elle s'en étonna. Que s'était-il donc passé entre-temps ? Nick lui avait menti effrontément, et loin de le taxer d'hypocrisie, elle voyait dans son stratagème la preuve d'un esprit inventif et facétieux... Que signifiait cette indulgence ? Qu'elle était en train de tomber amoureuse de lui ? Non, c'était absurde ! Et absolument défendu.

— Vous venez ? cria-t-il depuis le salon.

— Oui, j'arrive !

Pour ne pas risquer de le blesser, Sara décida de garder le secret sur sa découverte.

— Je ne savais pas qu'il y avait un chat sur l'île, se contenta-t-elle d'observer quand elle l'eut rejoint.

— Ah ! vous avez fait la connaissance de Champion ! Il a joué un jour les passagers clandestins sur le bateau de Winkie, et Dexter l'a adopté de peur que Winkie ne le jette dans le lac avec une pierre autour du cou.

Après avoir glissé un morceau de journal enflammé sous une pile de petit bois et de bûches, Nick se tourna vers Sara et reprit :

— Je vous avais dit que Dexter était un tendre. Il ne faut pas se fier aux apparences : les hommes sont parfois très différents de l'impression qu'ils donnent.

— Oui, déclara la jeune femme en souriant, et avec certains, on va même de surprise en surprise.

16.

Nick se cala le dos contre le canapé et regarda le bois s'embraser, l'air aussi fier que s'il venait d'inventer le feu.

— J'adore les feux à l'âtre, observa Sara en s'asseyant près de lui. Mon père en faisait toujours un quand il rentrait du travail, l'hiver. C'est l'un des choses qui me manquent le plus en Floride.

Les meubles qu'elle avait nettoyés et cirés reflétaient la lueur dansante des flammes. Elle parcourut la pièce des yeux, et un tel sentiment de satisfaction l'envahit qu'elle se tut pour mieux savourer la perfection absolue de cet instant. Elle ne se rappelait avoir éprouvé un bien-être aussi profond à aucun moment de sa vie.

L'épaule de Nick touchait la sienne, et, dans un geste qui lui parut tout naturel, elle y posa la tête. Pendant plusieurs minutes, seuls le crépitement du feu et le craquement épisodique d'une bûche rompirent le silence, puis Sara déclara d'une voix douce :

— Vous êtes un vrai magicien, Nick. Jamais je n'aurais cru possible de passer une soirée aussi extraordinaire à Thorne Island. Je pensais avoir fait l'inventaire de toutes ses richesses, mais vous avez réussi à y créer quelque chose de nouveau, de festif… J'ai envie de monter dans ma chambre et de mettre vos fleurs à sécher entre les pages d'un livre pour garder à jamais le souvenir de ces heures merveilleuses.

— Vous devriez, car peu de femmes peuvent se vanter d'avoir reçu des fleurs de Nick Bass.

— Je suis d'autant plus flattée.

Nick passa un bras autour des épaules de Sara, et elle se blottit contre lui.

— Vous êtes fatiguée ? demanda-t-il.

— Un peu, mais ce n'est pas désagréable, après un délicieux repas et devant un bon feu de bois. Je me sens même si bien que, si j'étais un chat, je ronronnerais.

— Ce n'est pas le cas, Dieu merci, parce que les chats finissent toujours par s'endormir devant une cheminée, et que la soirée est loin d'être terminée.

— Ne vous inquiétez pas : la pensée du dessert que vous m'avez promis suffira à me tenir éveillée.

Cette pensée n'avait pas quitté Sara de la journée. Elle se réjouissait à l'avance de ce qui allait se produire, mais elle préférait laisser le désir monter lentement en eux ; son assouvissement n'en serait que plus délectable.

— Parlez-moi de vos parents, reprit-elle après quelques instants de silence.

— Il n'y a pas grand-chose à en dire. Ils se sont aimés, mariés, puis séparés. C'est une histoire terriblement banale.

Sara savait qu'aucun divorce n'était ressenti comme banal par les enfants du couple concerné, aussi insista-t-elle :

— Ils se sont quittés amis ou ennemis ?

Nick ne répondit pas tout de suite. Il hésitait visiblement à lui faire des confidences, mais il déclara finalement :

— D'accord, je vais tout vous raconter... Vous avez entendu parler des Westerling ?

— Les géants de l'industrie du pneu ? Oui, naturellement, comme tout le monde ! Il m'est même arrivé, autrefois, de passer devant le mur d'enceinte de leur propriété, à Akron, mais il est si haut que je n'ai rien pu voir.

— Eh bien, ma mère est une Westerling. Elle a grandi dans cette propriété, avec tous les avantages que procurent l'argent et un rang social élevé en matière d'éducation et de perspectives d'avenir.

— Je suis impressionnée ! Et votre père ?

— C'était Carlo, le jardinier italien qui tondait la pelouse et taillait les haies.

— Vraiment ? Et ils sont tombés amoureux l'un de l'autre malgré des origines aussi différentes?

— Les Italiens sont de grands séducteurs, au cas où vous ne l'auriez pas remarqué : peu de femmes résistent à leur charme.

— Si, j'ai remarqué.

— Ma mère a donc succombé à celui du jardinier de ses parents. Ils se sont rencontrés en secret dans la serre, puis dans sa chambre, et ce qui devait arriver est arrivé : elle s'est retrouvée enceinte.

— De vous ?

— De moi. Ma grand-mère s'en est aperçue au bout de trois mois, et la famille s'est réunie pour choisir un époux à ma mère et décider de la somme qu'il faudrait verser à l'heureux élu pour le persuader d'accepter.

— Les Westerling voulaient *acheter* un mari à votre mère ?

— Oui, mais c'était son Carlo qu'elle voulait, et ils se sont mariés — dans la plus stricte intimité, cela va sans dire. Je suis né, et ils ont connu un bonheur parfait, mais de courte durée : une année seulement.

Sara leva les yeux vers Nick. Elle s'attendait à lire de la douleur sur son visage, mais il fixait les flammes d'un air absent, comme si l'histoire qu'il racontait ne le concernait pas vraiment.

— Si vos parents s'aimaient tellement, pourquoi se sont-ils séparés ? demanda-t-elle.

— Parce que leur amour n'était pas assez fort pour compenser leurs différences sociales et culturelles. Ma mère s'est rendu compte qu'un salaire de jardinier ne permettait pas de s'acheter des sacs Gucci, et mon père qu'une Westerling avait peut-être appris le latin et le grec à l'école, mais qu'elle était incapable de faire une bonne sauce bolognaise.

— C'est triste.

— Non, pas tant que ça. Ma mère a retrouvé dans la société la place à laquelle son éducation l'avait destinée ; elle voyage beaucoup, et elle est très heureuse. Quant à mon père, il vit depuis vingt-cinq ans à Euclid avec une femme dont les raviolis sont de pures merveilles.

— Et comme ils n'oublient ni l'un ni l'autre de vous souhaiter votre anniversaire, ils vous aiment tous les deux.

— Ils portent en effet avec courage un fardeau commun, celui d'avoir un fils comme moi.

— Vous les voyez de temps en temps ?

— Oui, ils viennent me rendre visite au moins deux fois par an — mais pas ensemble, naturellement.

Sans que Sara comprenne bien pourquoi, cette information la surprit d'abord, et lui fit plaisir ensuite.

Comme s'il lisait dans ses pensées, Nick poursuivit :

— J'étais sûr que vous seriez contente de me savoir en bons termes avec mes parents. Cela vous évitera de me pousser à me réconcilier avec eux, et allégera d'autant votre grande campagne pour me changer.

— Je vous ai dit que j'y avais renoncé.

— Je crains que vous n'y soyez malgré tout parvenue.

— Si c'est vraiment le cas, les responsabilités sont partagées, car personne n'a le pouvoir de changer quelqu'un contre son gré.

Nick se mit à caresser les cheveux de Sara. Un sourire flottait à présent sur ses lèvres, énigmatique. Exprimait-il un sentiment de satisfaction, ou bien était-il destiné à cacher sa peur devant les changements qui s'étaient opérés en lui ?

— Quand je suis seul et que je pense à vous, et j'y pense, croyez-moi, je ne sais pas ce que je veux, déclara-t-il. Mais quand je suis avec vous, comme maintenant, je le sais très bien. Le corps parle un langage plus clair que l'esprit.

— Alors pour une fois, Nick, nous sommes sur la même longueur d'onde.

— Nous le sommes en fait dans ce domaine depuis le jour de votre arrivée à Thorne Island : nous avons tout de suite été attirés l'un par l'autre. Vous avez essayé de lutter contre cette attirance, et moi aussi, bien qu'avec moins de succès, mais le résultat est le même : nous avons tous les deux fini par admettre que nous nous dirigions inexorablement vers le moment que nous sommes en train de vivre.

— C'est vrai, mais je trouve que vous parlez beaucoup, pour un homme qui me reprochait ce matin d'être trop bavarde !

— Vous avez raison.

Tendant la main derrière lui, Nick prit trois coussins sur le canapé, les posa sur le plancher et allongea Sara dessus. Il s'étendit ensuite sur elle, les coudes appuyés contre le sol pour ne pas l'écraser sous son poids, puis il la fixa intensément, comme s'assurer qu'elle était consentante.

En réponse à cette muette interrogation, la jeune femme se souleva pour l'embrasser. Ce premier baiser agit comme une étincelle sur leurs sens prêts à s'embraser, puis la bouche de Nick porta ses assauts sur le cou et la gorge de Sara, caressant, mordillant, suçant... Elle murmura son nom dans un soupir de plaisir, tandis que leurs corps se mettaient à bouger en parfaite harmonie, comme s'ils étaient de tout temps destinés à ne faire qu'un.

Pressée par le besoin de sentir la peau nue de son compagnon contre la sienne, Sara le repoussa doucement et entreprit de le déshabiller. Il lui enleva ensuite ses vêtements, et ils restèrent un moment à se regarder, aussi émus l'un que l'autre, avant de s'enlacer et d'être emportés dans le tourbillon d'un plaisir donné et reçu avec un égal bonheur.

Quand Nick entra en elle, Sara perdit tout contact avec la réalité : elle s'envola vers un paradis de volupté. Ce merveilleux voyage culmina dans un fulgurant orgasme, et elle en revint éblouie, comblée...

Elle comprit alors que plus jamais elle ne serait la même.

Bien qu'il la serrât étroitement contre lui, Nick sentit soudain Sara frissonner. Leurs ébats avaient dispersé les coussins, si bien qu'ils étaient tous les deux couchés à même le sol, et il ne restait plus du feu de bois que quelques braises rougeoyantes.

— Tu as froid ? demanda-t-il.

— Oui, un peu.

Il prit le plaid posé sur le bras du canapé et en recouvrit leurs deux corps. Sara se blottit de nouveau contre lui et chuchota :

— Oui, c'est beaucoup mieux comme ça.

Le plaisir de la tenir dans ses bras et de se baigner avec elle dans la douce torpeur du désir assouvi aurait persuadé Nick de passer la nuit là si sa jambe n'avait commencé à le faire souffrir. Il bougea pour essayer de trouver une position plus confortable, mais ce mouvement augmenta encore la douleur.

— Désolé, mais il faut que je me lève, annonça-t-il.

— Tu as mal ! s'écria Sara en se redressant. J'aurais dû y penser. Tu ne peux pas être bien, allongé par terre !

— J'ai une idée : si nous allions reprendre nos activités dans mon lit ?

— Tu te sens prêt à recommencer ?

Nick sourit et saisit le bord du plaid.

— Tu en veux la preuve ? demanda-t-il.

— Non, je te crois sur parole.

— Merci de ta confiance ! Monte la première ! Je te rejoins dans une minute, le temps d'aller chercher deux canettes de Coca dans la cuisine.

Après avoir remis sa jupe et sa veste, Sara ramassa le reste de ses habits et se rendit dans sa chambre. Là, elle se déshabilla et enfila le grand T-shirt qui lui servait de chemise de nuit en songeant avec un frisson d'excitation au moment où son bel amant le lui enlèverait.

Elle trouva la porte de Nick entrouverte, mais jugea malgré tout plus correct de frapper.

— Entre ! dit-il.

Assis sur le bord du lit, vêtu d'un simple caleçon, il était en train d'ouvrir une canette de Coca-Cola light. La jeune femme s'approcha pour prendre celle qu'il lui tendait, et elle vit alors, appuyé contre le montant du lit, le paquet en provenance d'Afrique du Sud. Nick suivit son regard, parut hésiter, puis il déclara :

— Vas-y, ouvre-le !

— Ce serait plutôt à toi de le faire.

— Quel intérêt ? Je sais déjà ce qu'il y a dedans.

— J'ai peur, si je t'obéis, que tu me reproches ensuite d'être indiscrète.

— Bien sûr que non, et tu me rendras même service : ce cadeau ne peut pas rester éternellement dans son emballage.

— Tu es sûr que ça ne t'ennuie pas ?

— Certain !

Sara déchira le papier kraft et découvrit dessous une boîte en carton doré entourée d'un ruban. Avant de continuer, elle se tourna vers Nick pour lui en demander silencieusement la permission. Il se contenta de lever les yeux au ciel.

La boîte contenait un objet enveloppé dans du papier de soie. Une fois cette deuxième couche protectrice enlevée, la jeune femme eut entre les mains la plus belle canne qu'elle eût jamais vue. Sa tige était de bois d'ébène sculpté, et son pommeau en métal représentait une tête de tigre, avec deux pierres étincelantes à la place des yeux. Sara alla l'examiner à la lumière de la lampe de chevet. Ce métal ne pouvait tout de même pas être de...

— Celle-ci n'est pas mal, observa Nick d'un ton détaché.

— J'ai cru un moment que... Mais c'est impossible : ce pommeau est trop gros pour être...

— En or massif ? Si, il l'est. Ma mère déteste le toc.

— Et les yeux du tigre ?

— Comme elle est en ce moment en Afrique du Sud, j'imagine que ce sont des diamants.

— Des diamants ! Je ne savais même pas qu'il en existait de cette taille !

Nick se leva, prit la canne et se dirigea vers un placard. Quand il l'ouvrit, Sara poussa un cri de stupeur : quatre cannes tout aussi somptueuses y pendaient à des crochets. C'étaient de véritables pièces de musée, d'une très grande beauté et d'une valeur considérable.

— Je n'arrive pas à croire que tu aies laissé quelque chose d'aussi précieux traîner tout un après-midi dans le vestibule ! s'exclama la jeune femme. Et c'est dans le coffre d'une banque, pas dans un placard même pas fermé à clé, que cette canne et les autres devraient être !

— Pourquoi ? Qui risque de me les voler ? Personne ne sait qu'elles sont là, à part mes trois compagnons — et toi, maintenant.

— Tu ne refuserais pas plutôt de t'en séparer pour des raisons sentimentales, parce que ce sont des cadeaux de ta mère ?

— Si, en partie. Je les trouve d'un luxe disproportionné, mais c'est pour elle une façon de s'excuser.

— De quoi ?

— De ne pas m'avoir assez soutenu au moment de ma blessure et après. Je crois qu'elle a alors pensé que je l'avais bien cherché. Elle ne s'était jamais cachée de désapprouver mon choix de métier, et comme c'est lui qui m'a valu de recevoir cette balle dans le dos…

— Ah bon ? Elle n'était pas fière d'avoir un fils qui gagnait sa vie en braquant des banques ?

Cette boutade fit sourire Nick, mais il ne la releva pas.

— Je lui ai dit l'an dernier que je n'avais plus besoin de canne pour marcher, déclara-t-il, mais elle ne me connaît plus assez bien pour trouver une autre idée de cadeau. Je le comprends et je ne lui en veux pas : je suis seul responsable de cet état de choses.

— Il n'en est pas moins triste, observa Sara.

Elle ramassa les papiers d'emballage et le carton. Une enveloppe en tomba.

— Il y a une lettre, indiqua-t-elle.

— C'est vrai, ma mère en joint toujours une à ses envois. Vas-y, lis-la !

— Certainement pas ! C'est quelque chose de bien trop personnel.

— Celle-ci n'a rien de personnel, je peux te le garantir ! Et même si elle l'était, cela ne devrait pas te gêner… Tu es venue fouiller dans mes affaires derrière mon dos, et maintenant, tu refuses d'ouvrir une simple enveloppe alors que je t'en donne la permission ? Franchement, il y a quelque chose qui m'échappe !

Le ton de Nick était plus amusé que critique, si bien que la jeune femme ne s'offusqua pas de sa remarque — d'ailleurs justifiée.

— Bon, tu l'auras voulu ! s'exclama-t-elle.

La première chose qu'elle sortit de l'enveloppe fut une carte Visa Platinum, dont Nick s'empara vivement en grommelant :

— Ah oui ! J'oubliais... Ma carte bancaire annuelle...

Il prit une paire de ciseaux dans le tiroir de la table de chevet, coupa le petit rectangle de plastique en quatre et jeta les morceaux dans la corbeille à papier.

Cet homme ne cesserait donc jamais de la surprendre ? songea Sara, interloquée.

— Lis la lettre, à présent ! ordonna-t-il. A haute voix !

— « Mon chéri, tu me ferais très plaisir en utilisant cette carte pour t'acheter un billet d'avion pour Paris. J'y serai la dernière semaine de mai, et c'est une ville que j'aimerais beaucoup visiter avec toi. En plus, tu sais ce qu'on dit de Paris au printemps, alors peut-être y trouveras-tu l'amour... Je t'embrasse. Maman. »

Sara leva les yeux vers Nick. Il avait le visage impassible.

— C'est gentil de sa part, observa-t-il, mais je n'irai pas à Paris.

Son refus d'une proposition aussi séduisante aviva la curiosité qu'avait déjà Sara de son passé. Enhardie par leur nouvelle intimité, elle se risqua à lui demander :

— Tu n'as jamais été amoureux ?

— Oh ! si, des dizaines de fois ! Il m'est même arrivé de l'être de plusieurs femmes en même temps.

Aucune réponse n'aurait pu infliger à Sara blessure plus cruelle. Jamais elle n'aurait cru Nick insensible au point de lui dire cela juste après les moments de passion qu'ils avaient partagés.

— Tu viens ? reprit-il avec un geste du menton en direction du lit. Je me sens en pleine forme ! Ma jambe ne me tracasse plus, et tu es tellement sexy, dans ton grand T-shirt...

— Vous n'êtes qu'un grossier personnage, monsieur Bass ! déclara-t-elle froidement. Je suis ravie de savoir que votre jambe ne vous fait plus souffrir, mais c'est moi, maintenant, qui ai mal. Et inutile de me demander où, car vous ignorez manifestement tout de cette partie-là de l'être humain.

17.

Après une nuit agitée, Nick se réveilla plus tard que d'habitude. Ses compagnons auraient dû arriver une heure plus tôt, et pourtant le silence régnait dans la maison : aucun coup de marteau, aucun bruit de scie, aucune voix ne se faisait entendre. Ce n'était pas normal et, quel que soit le problème, il survenait au plus mauvais moment : celui que Nick s'était créé la veille le tourmentait déjà suffisamment.

Il avait commis une énorme bévue en répondant par une boutade à la question de Sara. Elle avait pris ses paroles au sérieux, et il se demandait maintenant comment sortir de l'impasse. Pour tout arranger, il payait ce matin le prix de leur étreinte passionnée sur le plancher du salon : cela faisait des mois que sa jambe et son dos n'avaient été aussi douloureux au réveil. Il était cependant prêt à recommencer, et tout de suite — à supposer que Sara soit d'accord, et comme il n'était même pas sûr qu'elle accepte de lui parler...

La porte de la jeune femme était fermée quand il se rendit en clopinant à la salle de bains. Elle ne devait pas encore être levée, et la pensée de son corps mince couché entre les draps alluma en lui une flambée de désir. Il était urgent de la reconquérir : l'idée de ne plus jamais pouvoir la toucher le rendait trop malheureux.

Lorsqu'il sortit de la salle de bains, Nick songea à entamer directement ses tentatives de réconciliation en se glissant dans la chambre de Sara et en la réveillant d'un baiser. Elle lui passerait alors les bras autour du cou et l'inviterait à venir la rejoindre dans son lit...

Ou bien elle lui donnerait une gifle...

Se rappelant les mots qu'elle lui avait adressés avant de le quitter la veille — en claquant la porte derrière elle —, il jugea plus prudent d'attendre et descendit directement dans la cuisine.

« Sois patient, Romano ! se dit-il. La situation exige du tact, et c'est précisément parce que tu en as manqué hier soir que tu en es là aujourd'hui. Ne commets pas deux fois la même erreur ! »

L'interruption du chantier était d'ailleurs un problème à régler en priorité : si les travaux n'avaient pas repris quand Sara se lèverait, son humeur s'en ressentirait. Il avait donc intérêt à aller voir ce qui se passait, et à ramener ses compagnons au Cozy Cove le plus vite possible.

Une tasse de café à la main, il se dirigeait vers l'intendance lorsqu'il rencontra Ryan.

— Je venais justement te chercher, lui annonça ce dernier. Brody a des choses à nous dire.

— Des choses désagréables ?

— Je le crains.

Ils trouvèrent l'intéressé attablé devant un café avec Dexter. Il sauta sur ses pieds à leur entrée et fusilla Nick du regard.

— Je suis surpris que tu aies réussi à te lever ce matin ! lui lança-t-il.

— J'ai eu un peu de mal, mais j'y suis arrivé.

— Je pensais pourtant que tu dormirais toute la journée, après la nouba que tu as faite !

— Quelle nouba ?

— Ne joue pas les innocents ! J'ai très bien vu les illuminations, dans la salle à manger, et je sais que Winkie t'a livré une commande spéciale. Il a gagné tellement d'argent hier, avec tous ses allers et retours, qu'il risque de ne plus bouger du bar des Pêcheurs pendant une semaine entière, maintenant !

Nick se demanda si Brody avait vu de sa soirée avec Sara plus que la lumière des décorations de Noël. C'était cependant peu probable : Brody avait bien des défauts, mais il n'était pas homme à espionner les autres.

— J'ai invité Sara à dîner, c'est tout, déclara Nick.

— Je doute que tu te sois arrêté là ! Vous avez dû aller terminer cette petite fête dans ton lit, et même si ce n'est pas le cas, tu as pactisé avec l'ennemi du seul fait d'avoir traité cette femme comme une reine, et non comme l'empêcheuse de tourner en rond qu'elle est ! Tu nous as trahis, Nick, et nous exigeons des explications !

— Ça suffit, Brody ! Nous ne sommes pas en guerre, et il n'y a donc sur cette île ni traîtres ni ennemis. Sara a été plus que correcte avec nous : elle aurait pu essayer de nous chasser d'ici en attaquant les clauses de notre bail devant les tribunaux, mais elle ne l'a pas fait. Elle a ensuite accepté, pour nous arranger, de nous laisser effectuer nous-mêmes les travaux du Cozy Cove, et elle nous a en plus préparé un somptueux repas pour nous remercier.

— Peut-être, mais…

— Attends, je n'ai pas terminé ! Avant l'arrivée de Sara, nous menions tous les quatre une existence routinière, chacun de notre côté. A présent, nous nous parlons vraiment, nous travaillons ensemble et, pour la première fois depuis des années, nous accomplissons une tâche utile.

Il n'était pas dans les habitudes de Nick de faire des leçons de morale, mais maintenant qu'il était lancé, rien ne pouvait plus l'arrêter. Sara avait provoqué des changements positifs dans la vie des hommes de Thorne Island, et ils devaient lui témoigner un minimum de respect.

— Regarde Ryan, poursuivit-il. Je ne l'ai jamais vu aussi heureux que depuis qu'il s'occupe des vignes. Quant à Dexter et toi, vous vous disputez pour savoir lequel de vous deux apporte la contribution la plus importante à la rénovation du Cozy Cove, et pourquoi ? Parce que vous tirez fierté de ce que vous faites. Sara nous a donné un but, alors que notre seule ambition, jusque-là, était de tuer le temps et l'ennui.

Dexter et Ryan opinèrent de la tête, mais Brody continua de fixer Nick d'un air courroucé.

— Je suis prêt à parier qu'elle t'a donné beaucoup plus, à toi ! s'exclama-t-il.

— Mêle-toi de tes affaires ! Je n'ai pas de comptes à te rendre.

— Mais tu ne me contredis pas, et j'en déduis que tu t'es bel et bien laissé entortiller par cette petite…

Quelque chose dans l'expression de son interlocuteur dut effrayer Brody, car sa phrase resta en suspens. Et il eut raison de s'arrêter là : Nick n'aurait pas hésité, sinon, à lui faire rentrer ses mots dans la gorge par la force.

— Tu sais ce que tu es, Brody ? déclara-t-il d'un ton méprisant. Un vieil aigri, qui se complaît dans le malheur et rend la vie impossible à tous ceux qui l'entourent. Tu pourrais te servir de ta fortune pour améliorer le sort de centaines de gens — le tien et celui de ton fils, pour commencer —, mais non… Tu es incapable de générosité, dans le domaine matériel aussi bien que moral. Tu préfères rester ici, à vendre de l'épicerie entre deux parties de pêche et de chasse au trésor, plutôt que de te remettre en question.

Nick pivota sur ses talons et ajouta avant de sortir de la maison :

— Je vais travailler. Seul ou avec votre aide. A vous de voir.

Tandis qu'il s'éloignait, il entendit Brody crier :

— J'ai quand même payé les ventilateurs de ma poche !

Cette information étonna Nick et lui donna à réfléchir : le cas de Brody n'était peut-être pas désespéré, finalement... Et, alors qu'il croyait ne plus rien avoir à attendre de lui, il décida de lui offrir une dernière chance, en téléphonant à Matthew pour organiser une rencontre.

Les volets de Sara étaient ouverts quand Nick arriva au Cozy Cove ; elle était donc levée. Pensant la trouver dans la cuisine, il entra dans la maison par la porte du jardin. Il avait renoncé à sa tactique antérieure et résolu d'attaquer le problème de front. Cette matinée semblait placée sous le signe des grandes explications, alors autant continuer... L'angoisse qui lui nouait l'estomac lui disait cependant qu'il y avait une énorme différence entre affronter l'ire de Brody et celle de Sara. Les enjeux n'étaient pas du tout les mêmes.

La jeune femme était bien dans la cuisine, constata-t-il en entrebâillant la porte. Debout devant la cafetière, elle lui tournait le dos, et il en profita pour se glisser à l'intérieur. Les mocassins qu'il avait mis le matin ne faisaient pas de bruit sur le carrelage, et il put ainsi s'approcher silencieusement de Sara. Elle détestait être surprise, mais il ne voulait pas qu'elle se lance dans une diatribe contre lui avant qu'il n'ait eu le temps de plaider sa cause.

Il s'arrêta à moins d'un mètre d'elle et retint son souffle. Elle portait un short très court, qui découvrait ses longues jambes, et ses cheveux relevés en chignon dégageaient son cou gracieux, le duvet soyeux de sa nuque, ses oreilles finement ourlées...

Sourd aux avertissements de sa raison, Nick tendit les bras pour lui enlacer la taille.

— Si vous me touchez, je vous étripe ! s'écria-t-elle en brandissant le couteau à beurre.

Nick se dépêcha de mettre ses mains derrière son dos. Il contourna ensuite la jeune femme et susurra :

— Bonjour, Sara ! Vous m'en voulez encore, apparemment.

— Oui !

Prenant sa tasse de café, elle sortit sur la terrasse. Nick la suivit. Elle s'assit sur la plus haute marche. Nick l'imita. Elle bougea pour laisser entre eux le plus d'espace possible. Il combla aussitôt cet écart. Acculée contre la rampe de bois, elle se plongea dans la contemplation des arbres du jardin. Lui dans celle de son profil.

— Combien de temps vais-je devoir attendre ? demanda-t-il.

— Pour quoi faire ?

— Pour être de nouveau autorisé à vous toucher.

Elle se tourna vers lui et le regarda droit dans les yeux. Il décida d'y voir un signe encourageant.

— Vous êtes d'une telle impudence, monsieur Bass, que je ne comprends pas votre réclusion volontaire sur cette île, déclara-t-elle. Le plaisir de séduire les femmes pour mieux les humilier ensuite doit beaucoup vous manquer, ici !

— C'est vous, et vous seule, qui m'intéressez.

— Ah bon ? Je croyais que vous aviez l'habitude d'entretenir plusieurs liaisons à la fois ?

— Je plaisantais, Sara !

— Cette « plaisanterie » m'aurait peut-être amusée à un autre moment, mais juste après avoir fait l'amour avec vous, je ne l'ai pas trouvée drôle du tout.

— Oui, je vous dois des excuses. Je ne suis qu'un rustre.

— Vous ne m'apprenez rien !

— Je le sais, et je suis désolé, vraiment désolé. Il m'arrive de parler sans réfléchir et de blesser ainsi les gens sans le vouloir... Vous me permettez de poser la main sur votre genou ? Je vous promets de ne pas monter plus haut.

La jeune femme ne répondit pas, mais elle enleva son coude dudit genou pour porter sa tasse à ses lèvres. Nick interpréta ce geste comme un consentement et se hâta d'occuper le terrain avant qu'elle ne change d'avis.

— J'ai passé hier la soirée la plus merveilleuse de toute ma vie, reprit-il.

— Vous êtes en train de tomber d'un excès dans l'autre !

— Non, c'est la stricte vérité, et vous n'avez pas idée de l'effort de volonté que j'ai dû fournir pour rester dans ma chambre. Je brûlais d'aller enfoncer votre porte et de vous supplier de me pardonner.

— Vous avez eu raison de vous abstenir. Vous auriez risqué de vous démolir l'épaule pour rien.

— Parce que vous ne m'auriez pas pardonné ?

— Non, parce que ma porte n'était pas fermée à clé, espèce d'idiot !

L'ombre d'un sourire apparut sur le visage de Sara. Elle se pencha pour poser sa tasse à ses pieds et, lorsqu'elle se redressa et se tourna de nouveau vers Nick, il comprit que la partie était gagnée. Elle attendait visiblement qu'il l'embrasse, et il ne se fit pas prier.

A quoi bon lutter ? se demanda Sara tandis que les lèvres de Nick s'unissaient aux siennes. Une semaine la séparait de son retour à Fort Lauderdale, et elle n'allait tout de même pas la passer à bouder ! Elle se savait d'ailleurs incapable de rester longtemps en colère contre Nick ; cela l'obligeait à garder ses distances avec lui alors qu'elle rêvait de connaître de nouveau la magie des moments qu'ils avaient partagés la veille. Elle avait conscience, en cédant à son désir, de mettre son cœur en danger, mais l'envie de profiter de l'instant présent l'emportait sur toute autre considération.

La bouche de Nick suivit la courbe de sa mâchoire et remonta jusqu'à son oreille, dont elle mordilla le lobe.

— Rien ne me plairait plus que de continuer, murmura-t-il, mais j'ai dit aux autres que j'allais travailler.

— Alors vas-y ! Je m'en voudrais de te retenir.

— Je peux prétendre que j'ai eu brusquement très mal à la jambe, remarque... J'irai dans ma chambre, tu viendras discrètement m'y rejoindre...

— Il n'en est pas question !

— Tu es du genre à faire passer le travail avant le plaisir ? Bon, d'accord... J'aurai toute la journée pour penser au plaisir, et toute la nuit pour le savourer... Mais il faut d'abord que j'appelle le fils de Brody. Je vais l'inviter ici.

L'idée que Brody ait de la famille n'avait même pas effleuré Sara. Elle aurait été moins surprise d'apprendre qu'il venait de la planète Mars.

— Brody est marié ? s'écria-t-elle.

— Divorcé, mais il a un fils, Matthew.

— Où vit ce Matthew ?

— En Pennsylvanie. Son père ne lui parle plus depuis des années.

— Pourquoi ?

— Parce que Matthew lui a emprunté de l'argent, autrefois, et ne l'a pas remboursé.

— Et Brody ne lui a jamais pardonné ?

— Non.

— Il devrait se présenter au concours du plus mauvais père de l'année : il serait sûr de gagner… Mais comment se fait-il que tu aies le numéro de téléphone de son fils ?

— J'ai persuadé Brody de me le donner un jour où quelque chose l'a mis dans une telle fureur qu'il n'arrivait plus à respirer. J'ai cru qu'il avait une attaque, mais non, il étouffait juste de rage, au sens propre du terme. Je lui ai tout de même dit que je devais pouvoir demander à quelqu'un de venir chercher son corps si jamais un accès de colère l'envoyait vraiment ad patres. Il a fini par me communiquer les coordonnées de son fils, mais seulement après m'avoir arraché la promesse de ne l'appeler que pour lui annoncer son décès.

— Promesse que tu t'es dépêché de rompre, j'imagine…

— Oui, et j'ai découvert en Matthew un homme intelligent et sensible, qui a une femme, des enfants et un bon métier. Je lui téléphone plusieurs fois par an, et je sais qu'il désire se réconcilier avec son père. Brody étant trop buté pour faire le premier pas, il faut que Matthew prenne l'initiative. C'est ce que je compte lui expliquer, mais j'aurai besoin pour cela de ton portable. Tu peux me le prêter ?

Ainsi, Nick, qui l'avait accusée de s'ingérer dans les affaires des autres et de vouloir changer leur destin, avait décidé de jouer lui aussi les bon Samaritain..., songea Sara.

— Oui, tu peux utiliser mon portable, déclara-t-elle, mais comment Brody va-t-il réagir quand tu l'informeras de la visite de son fils ?

— Il m'en voudra tellement qu'il essaiera sans doute de m'écraser avec sa voiturette de golf, mais je pense qu'il se calmera avec le temps. Et quand Matthew sera là, dans l'intention affichée de renouer le dialogue avec lui, Brody comprendra enfin que son fils l'aime vraiment et se moque de son argent.

— Tu prends des risques ! Brody arrivera peut-être à te tuer, avec sa voiturette ou autrement, avant que sa colère contre toi se soit apaisée.

Nick se contenta de sourire. Il commença à se lever, mais Sara l'arrêta en s'écriant :

— Attends ! Si nous parlions de la situation de Dexter, pendant que nous y sommes ?

— Il n'y a rien à en dire. Il est très heureux.

— Heureux ? Moi, je le crois plutôt extrêmement malheureux ! Jusqu'à ce que les travaux de l'hôtel commencent, il passait tout son temps devant la télévision, et j'ai vu le carnet qu'il emporte partout avec lui : les pages sont couvertes de schémas tactiques. Sous ses dehors de gros ours débonnaire, il cache une douleur que seul pourra soulager un retour dans le monde du football.

— Tu as peut-être raison, et je vais appeler quelqu'un qui pourrait lui en donner la possibilité, mais si ça ne marche pas, tant pis ! Je n'ai pas du tout envie que Dexter s'en aille, et s'il doit partir, je veux au moins que ce soit pour trouver ce qui lui manque ici.

« Et toi, Nick, que faudrait-il pour te convaincre de quitter Thorne Island ? » s'interrogea la jeune femme.

— Tu vas sans doute me demander maintenant de me débrouiller pour que Ryan reprenne sa carrière de jockey ? ajouta Nick.

— Non, mais j'aimerais malgré tout pouvoir faire quelque chose pour lui.

— Tu lui as déjà...

— Chut ! Les voilà !

Les trois hommes venaient d'apparaître à l'angle de la maison. Le visage de Brody arborait une expression encore plus hargneuse que d'habitude, et ce fut sur un ton particulièrement agressif qu'il observa :

— Tu nous attendais, Nick ? Je croyais que tu devais te mettre au travail, même sans nous, mais tu as évidemment préféré te prélasser au soleil en compagnie de notre chère propriétaire ! Je vous signale quand même à tous les deux que les lampions de votre petite fête d'hier soir sont restés allumés et qu'il serait peut-être temps d'aller les éteindre et de les décrocher.

Sara en demeura sans voix et Nick jura entre ses dents tandis que Brody se dirigeait à grandes enjambées vers la porte de la cuisine. Ryan et Dexter le suivirent, l'air gêné et les yeux fixés sur la pointe de leurs chaussures.

— Tu leur as dit ! s'écria la jeune femme à Nick quand ils furent seuls.

— Non. Brody a vu les lumières dans la salle à manger, mais c'est tout.

— Il se doute malgré tout de quelque chose.

— Et alors ? Laisse-le parler. Si nous ignorons ses piques, il finira par se lasser… Je vais appeler son fils, à présent. Où est ton portable ?

— Sur la table de la cuisine.

Nick rentra dans la maison, et Sara vida sa tasse de café froid en se demandant comment il était possible de passer six ans avec un homme aussi désagréable que Brody et d'avoir encore envie de lui rendre service.

Le numéro de Matthew était l'un des seuls que Nick connaissait par cœur. Ce fut lui qui décrocha, et il s'exclama dès que son correspondant se fut nommé :

— Il est arrivé quelque chose à mon père ?

— Pas encore, mais ça ne saurait tarder.

— Il vous a poussé à bout et vous avez décidé de vous débarrasser définitivement de lui ? dit Matthew en riant.

— C'est plutôt le contraire qui risque de se produire… Je voudrais que vous veniez le voir.

— Il vous a parlé de moi récemment ?

— Non, mais il est temps que vous fassiez la paix, tous les deux.

— Pourquoi maintenant ?

— Votre père s'est adouci avec l'âge. Je crois qu'il est prêt à admettre ses torts.

Comme c'était un pieux mensonge, Nick estima qu'il ne lui vaudrait pas d'aller brûler en enfer.

— Quand pouvez-vous venir ? ajouta-t-il.

Il y eut un silence, au bout du fil.

— Je vais en discuter avec ma femme, répondit finalement Matthew. Je peux vous rappeler au numéro qui s'est affiché sur l'écran de mon téléphone ?

— Oui. C'est celui du portable d'une amie, mais ne tardez pas trop : son séjour à Thorne Island ne durera pas éternellement.

Le cœur de Nick se serra à cette idée et, pour ne plus y penser, il se dépêcha d'appeler les renseignements pour obtenir le numéro du directeur sportif des Cleveland Browns.

Nick n'était plus dans la cuisine quand Sara y rentra. Elle monta dans sa chambre avec son portable et téléphona aux bureaux du journal de Sandusky. Elle dicta à une employée le texte d'une petite annonce demandant une personne pour gérer le Cozy Cove. Il faudrait avertir les candidats que la réouverture de l'établissement dépendait d'un avis favorable des autorités, mais avec un peu de chance, elle l'obtiendrait avant son départ, et tout serait ainsi en place pour la mise en exploitation de l'hôtel.

Elle ouvrit ensuite le catalogue de JC Penney et y choisit des parures de lit et des rideaux pour les chambres terminées. Au dernier moment, elle ajouta à sa liste des tapis de couleur vive qui donneraient aux pièces une note de gaieté et de chaleur.

Après avoir passé sa commande par téléphone, elle appela sa secrétaire à Fort Lauderdale.

— Bonjour, Sara ! s'exclama joyeusement Candy. Je serai à Cleveland vendredi à 13 heures.

— Parfait ! Je vous ai dit que vous devriez faire une petite halte en chemin, vous vous souvenez ?

— Oui. De quoi avez-vous besoin ?

— Il faut que vous alliez chercher une commande au JC Penney de Sandusky. Le magasin est tout près de l'embarcadère, si bien que ça ne vous retardera pas beaucoup. Vous arriverez largement à temps pour prendre le dernier ferry à destination de Put-in-Bay.

— D'accord.

— Et louez un break, à l'aéroport. Les articles que j'ai commandés ne sont pas lourds, mais ils sont volumineux.

— D'accord.

— Un homme du nom de Winkleman vous attendra sur le quai de Put-in-Bay et vous emmènera ensuite sur mon île. Son bateau ne paie pas de mine, mais il est très sûr.

— D'accord. A vendredi !

Candy était vraiment une fille étonnante, pensa Sara en coupant la communication. Sa gentillesse et son éternelle bonne humeur faisaient son admiration.

Au cours des deux jours suivants, Dexter et Brody finirent tous les travaux intérieurs. Ils s'attaquèrent ensuite aux peintures extérieures tandis que Ryan et Nick nettoyaient les abords de la maison et fabriquaient une nouvelle pancarte pour le Cozy Cove. Sara obtint que des inspecteurs viennent dès le lundi matin vérifier que l'hôtel satisfaisait aux normes en vigueur, mais leur visite ne l'inquiétait pas : l'autorisation de rouvrir l'établissement au public lui serait sûrement donnée.

Restait à savoir comment les hommes de Thorne Island se comporteraient une fois cette autorisation accordée. Concentrés sur leurs tâches, ils semblaient en avoir oublié le but ultime, mais la réalité les rattraperait vite… Que se passerait-il alors ? Comment accueilleraient-ils le futur gérant et les premiers clients de l'hôtel ? Brody, en particulier, risquait de leur mener la vie dure...

A cette crainte s'ajoutait chez Sara un profond sentiment de tristesse à l'idée que son séjour sur l'île allait bientôt se terminer : elle avait réservé une place sur un vol qui partait de Cleveland le mardi soir suivant. Nick n'était pas encore au courant. Elle n'osait pas le lui dire de peur d'obtenir pour toute réaction un haussement d'épaules indifférent. Cette seule pensée lui déchirait le cœur.

Non que Nick se fût montré indifférent envers elle depuis leur réconciliation, au contraire ! Il était venu la rejoindre tous les soirs dans sa chambre, et ils avaient passé ensemble des heures merveilleuses. C'était un amant fougueux mais attentionné, doublé d'un compagnon plein d'humour et de fantaisie : il savait aussi bien la faire rire que la rendre ivre de plaisir. L'idée de le quitter lui devenait de plus en plus douloureuse, à tel point qu'une question commençait à la tarauder : et si, sans même s'en apercevoir, elle était tombée amoureuse de lui ?

Lorsqu'elle lui avait annoncé la venue de Candy, il s'était plaint de devoir la partager avec « sa secrétaire mangeuse de pizzas ». Il l'avait dit sur le ton de la plaisanterie, mais peut-être une part de vérité se cachait-elle sous ce badinage, car le vendredi à 16 heures, il monta dans la chambre de Sara avec des sandwichs, une bouteille de vin et un sourire enjôleur.

La peur que la présence de Candy ne les prive de leurs nuits d'amour devait être la cause de cette visite inopinée. Il ne fallait sans doute pas y voir plus que la preuve d'une puissante attirance physique, mais Sara n'en fut pas moins flattée. Quelle femme n'aurait été heureuse d'inspirer un tel désir à un homme comme lui ?

Les deux heures suivantes passèrent à la vitesse de l'éclair, et ils reposaient dans les bras l'un de l'autre, tous leurs sens rassasiés, lorsqu'ils entendirent le bateau de Winkleman arriver.

— C'est Candy ! s'exclama Sara en sautant du lit et en ramassant ses vêtements éparpillés sur le sol.

Nick se cala contre l'oreiller et la regarda d'un œil intéressé s'affairer dans le plus simple appareil. Elle lui lança sa chemise et s'écria :

— Ne reste pas là à me lorgner ! Rhabille-toi !

— D'accord, d'accord...

Ils sortirent ensemble de la chambre et, à peine engagés dans l'escalier, ils entendirent Candy rire, dehors. La porte d'entrée s'ouvrit un instant plus tard de quelques centimètres, et un poignet entouré d'une demi-douzaine de bracelets cliquetants apparut dans l'embrasure. Un pied agrandit ensuite l'ouverture et poussa dans le vestibule un énorme sac en papier marqué du logo de JC Penney. Candy surgit finalement en entier dans l'encadrement. Elle leva les yeux vers l'escalier et annonça avec un grand sourire :

— Me voilà !

— Bonjour, Candy ! dit Sara. J'espère que vous n'avez pas eu trop de mal à transporter tous ces...

Les mots moururent sur ses lèvres. Son père venait de franchir le seuil, les bras chargés de paquets, un sac marin sur l'épaule.

— Papa ! s'écria la jeune femme. Pourquoi ne m'as-tu pas avertie de ta visite ?

— Je voulais te faire la surprise.

Sara descendit les marches quatre à quatre. Nick, lui, s'était immobilisé, et elle l'entendit distinctement pousser un juron. Au même moment, elle vit son père froncer les sourcils, puis claquer des doigts comme pour stimuler sa mémoire.

— Je vous connais, murmura-t-il, les yeux fixés sur Nick, mais je n'arrive pas à... Si ! Ça y est ! Vous êtes Romano, le journaliste du *Plain Dealer*... Je me demandais ce que vous étiez devenu.

La stupeur figea Sara sur place, puis elle se dit que son père confondait Nick avec une autre personne, tout simplement.

Ce dernier la détrompa en déclarant après s'être éclairci la voix :

— Comment allez-vous, Ben ?

La jeune femme se tourna vers l'homme à qui elle s'était donnée en toute confiance. Vers cet imposteur qui la regardait maintenant d'un air penaud, comme un petit garçon indiscipliné dont la mère venait d'apprendre la dernière incartade.

18.

Ben Crawford s'approcha de Sara et lui fit descendre les dernières marches en la tirant par la main.

— Qu'as-tu, ma chérie ? s'enquit-il. Tu es toute tremblante, comme si tu avais vu un fantôme.

— C'est plutôt toi qui en as vu un.

— Tu parles de Romano ? Je ne m'attendais pas à le trouver ici, c'est vrai.

L'intéressé venait de les rejoindre au pied de l'escalier, et Ben lui demanda :

— Que faites-vous sur l'île de Millicent ?

— Oui, monsieur *Romano*, renchérit Sara, que faites-vous sur l'île de tante Millie ? Nous sommes tous très curieux de le savoir.

— C'est une longue histoire, répondit Nick, mais elle peut se résumer à ceci : je me suis installé à Thorne Island pour me rétablir d'une blessure... Et vous, Ben, qu'est-ce qui vous amène?

— L'envie de découvrir l'héritage de ma fille, et aussi de m'assurer qu'elle allait bien : l'idée qu'elle soit seule avec quatre célibataires m'inquiétait un peu, mais jamais je n'aurais imaginé qu'il y avait parmi eux le grand Nicolas Romano !

Son père s'intéressait plus à Nick qu'à elle, constata Sara avec une pointe d'amertume. Il lui serra chaleureusement la main, puis commença à le bombarder de questions.

Furieuse contre Nick mais dévorée de curiosité, la jeune femme aurait voulu écouter la conversation des deux hommes. Candy l'en empêcha malheureusement : elle se mit à lui raconter son voyage avec force détails, la félicita ensuite de ses achats — les parures de lit étaient si jolies, les rideaux si gais, les tapis rendraient les chambres si accueillantes...

Elle s'arrêta quelques secondes pour reprendre son souffle, ce qui permit à Sara de saisir au vol une phrase de son père :

— Ainsi, ces promoteurs n'étaient pas seulement des escrocs ! Ils ont en plus essayé de vous tuer !

La lumière se fit alors dans l'esprit de Sara : Nick était le journaliste qui avait dénoncé les agissements malhonnêtes de la Golden Isles Development Corporation, et sa blessure était liée à cette affaire.

Mais cela n'expliquait pas pourquoi il avait gardé le secret sur une histoire à laquelle sa propre famille était si étroitement mêlée.

La voix de Candy la força à reporter son attention sur les sacs entassés dans le vestibule :

— Où faut-il emporter tous ces paquets ?

— Au premier étage, répondit-elle distraitement. Je vous aiderai à les monter dans une minute.

— Ce n'est pas la peine. Je m'en charge.

Lorsqu'il vit Candy se diriger vers l'escalier, un sac dans chaque main, Ben interrompit sa conversation avec Nick, souleva deux autres sacs et la suivit.

Sara avait besoin d'être seule pour essayer de recouvrer son sang-froid. Elle se rendit dans la cuisine et se chercha une occupation — des assiettes à laver, une tache à enlever sur le carrelage, n'importe quoi —, mais sans rien trouver qui puisse servir d'exutoire à sa colère : la pièce était impeccablement rangée et nettoyée.

Faute de mieux, elle se mit à l'arpenter… et faillit se cogner à Nick quand il ouvrit la porte et franchit le seuil d'un pas décidé. Elle le contourna en silence et reprit sa déambulation.

— Je sais, je sais…, grommela-t-il. Tu as des questions à me poser, mais là, je n'ai pas le temps. Ton père m'a demandé de lui apporter une bière, et il a très soif.

Cette répugnance évidente à s'attarder en sa compagnie acheva d'irriter la jeune femme, et elle aurait exigé des éclaircissements immédiats si Ryan n'avait alors poussé la porte du jardin. Il dut cependant sentir la tension qui régnait dans la pièce, car il battit aussitôt en retraite.

— Non, Ryan, ne t'en va pas ! s'écria Nick. On a quelque chose d'important à te dire !

C'était encore un subterfuge pour échapper à sa légitime fureur, Sara le savait, mais elle ne put que faire contre mauvaise fortune bon cœur : Ryan s'était finalement décidé à entrer et il attendait, le visage inquiet, que quelqu'un lui explique ce qui se passait.

Prise de pitié, elle lui déclara avec un sourire qui se voulait rassurant :

— Nous avons des visiteurs. Venez ! Je vais vous les présenter.

Elle l'emmena dans le vestibule, où son père et Candy étaient redescendus. L'air faussement dégagé, Nick tendit à Ben la canette de bière qu'il avait sortie du réfrigérateur, puis il se tapota le ventre et observa :

— J'aurais dû en prendre une pour moi aussi, pendant que j'y étais… Je reviens tout de suite.

— Rendez-vous devant le pressoir dans une demi-heure ! lui lança la jeune femme avant qu'il n'ait eu le temps de s'esquiver.

— Je ne sais pas si je pourrai. J'ai beaucoup de choses à...

— Dans une demi-heure, monsieur *Romano* !

Quand Nick fut parti, Ben, Ryan et Candy regardèrent Sara d'un air surpris. Elle éluda leurs éventuelles questions en faisant les présentations, et, malgré les pensées qui se bousculaient dans sa tête, elle remarqua que Ryan semblait hypnotisé par Candy.

Si les contraires s'attiraient vraiment, ces deux-là avaient tout pour s'entendre, songea-t-elle. Face au timide Ryan, Candy était l'image même de l'exubérance, avec sa faconde et ses tenues voyantes. Aujourd'hui, par exemple, elle était tout habillée de rouge, du chapeau à large bord posé sur ses cheveux roux jusqu'à ses sandales à talons hauts. Ils la grandissaient de cinq bons centimètres, mais, pieds nus, elle devait être exactement de la même taille que l'ancien jockey.

Sara avait souhaité que quelque chose vienne rompre la solitude de Ryan, mais jamais elle n'aurait imaginé que sa pétulante secrétaire le fascinerait à ce point. Logiquement, il aurait dû s'enfuir à peine les présentations terminées, et pourtant il restait rivé sur place, les yeux fixés sur la jeune femme qui alimentait la conversation avec sa volubilité coutumière :

— Je suis ravie de vous rencontrer, Eliot ! J'adore déjà cette île. Elle est si pittoresque ! Vous avez de la chance d'y vivre ! Rien ne doit en troubler le calme que le chant des oiseaux !

Sa main effleura le bras de Ryan, qui tressaillit, puis bredouilla en rougissant :

— Vous aimez la nature ?

— Oui. Les animaux, les fleurs…

— Vous avez vu celles qui décorent la véranda ?

— Bien sûr ! Elles sont magnifiques !

— C'est moi qui m'en occupe.

— Alors vous avez un don, et je vous envie : moi, il suffit que je touche une plante pour qu'elle fane.

— Je peux vous apprendre quelques règles simples, si vous le désirez.

— C'est très gentil à vous.

— Il y a des vignes, au fond du jardin… Vous voulez que je vous les montre ?

— Volontiers !

Sans plus se soucier ni de Sara ni de son père, Candy et Ryan sortirent de la maison. Ben, qui avait assisté à la scène en spectateur amusé, dit alors en riant :

— Ils ne sont pas mignons, tous les deux ? Je parie qu'en ce moment même, ils se tiennent par la main… C'est un vrai coup de foudre !

Un rire fit écho au sien ; Nick venait de réapparaître dans le vestibule.

— Un coup de foudre orchestré par votre fille ! souligna-t-il. Elle ne pense qu'à faire le bonheur des gens, en forçant un peu le destin s'il le faut.

— Je n'ai rien orchestré du tout, protesta Sara, mais si j'étais pour quelque chose là-dedans, je n'en aurais pas honte. J'en serais au contraire très fière !

— Mon Dieu, comme le temps passe ! observa Nick en consultant ostensiblement sa montre. J'ai un rendez-vous important dans quelques minutes.

La jeune femme le fusilla du regard et, lorsqu'ils furent seuls, son père lui déclara :

— Je te trouve bien dure avec lui... Tu sais qui c'est ?

— Oui et non.

C'était la seule réponse qu'elle pouvait donner. Elle connaissait Nick Bass, le brillant écrivain et le merveilleux amant à qui elle avait ouvert son lit et son cœur, mais Nicolas Romano était pour elle pire qu'un étranger : un dissimulateur.

Sara s'arrêta devant le pressoir. Nick n'était pas là, mais comme la porte était ouverte, il devait être à l'intérieur. Elle inspira à fond et entra dans le bâtiment.

Les rayons du soleil couchant en perçaient la pénombre de traits de lumière rose, et la colère de la jeune femme céda un moment la place au sentiment de paix que lui procurait toujours cet endroit.

— Je suis là, annonça Nick.

Sa voix venait du centre du local, douce et chaude, en parfaite harmonie avec l'atmosphère ambiante, mais en complet désaccord avec la mystification dont il s'était rendu coupable.

Maintenant que sa vue s'était accoutumée à la semi-obscurité, Sara distingua une silhouette assise sur le dernier barreau de l'échelle qui reliait le sol au sommet de la grande cuve. Elle s'en approcha et Nick l'invita de la main à s'installer près de lui, mais elle préféra rester debout.

— Tu m'en veux, murmura-t-il.

— Oui. Pourquoi m'as-tu menti ?

— Je ne t'ai jamais menti.

— Tu m'as caché la vérité. C'est la même chose.

— Non, ce n'est pas la même chose. Je t'ai dit que Millie me permettait de vivre ici contre un loyer modique pour me remercier de lui avoir rendu service. Tu n'avais pas besoin d'en savoir plus.

— Je ne suis pas de cet avis ! Tu aurais dû préciser que tu avais rendu ce service à ma tante dans le cadre de ton travail de journaliste... Tu aurais dû préciser que ce service avait consisté à empêcher Thorne Island d'être saccagée par des promoteurs cupides, et que tu avais permis à ma tante de finir ses jours à l'abri du besoin.

Nick haussa les sourcils, l'air perplexe.

— Je ne prétends pas être un saint, observa-t-il, mais les actes que tu me reproches me semblent plus louables que condamnables.

— Les propriétaires lésés par la Golden Isles te doivent beaucoup, en effet. Tu t'es battu pour eux avec autant d'efficacité que de courage, et, grâce à toi, justice a été faite.

— Mais tu es quand même en colère contre moi...

— Oui, comme je ne l'ai été contre personne de toute ma vie.

— Je ne comprends pas.

— C'est pourtant simple ! La franchise est pour moi la base des relations humaines, et je la trouve spécialement importante entre deux personnes qui commençaient à compter vraiment l'une pour l'autre... du moins le croyais-je.

— Et tu ne te trompais pas : je tiens beaucoup à toi, Sara.

— Ce ne sont que des mots ! Juste après t'avoir rencontré, je t'ai parlé de ma famille, de mon enfance, de mon métier, de la raison de ma présence ici... Je t'ai ensuite exposé les projets que j'avais pour l'île, je me suis livrée à toi en toute confiance... et je n'ai rien eu en échange.

— Je suis d'une nature réservée, et je t'ai tout de même raconté l'histoire de mes parents.

— La leur, oui, mais pas la tienne. Je savais par exemple que tu avais été blessé par balle, mais pas pourquoi : tu as toujours refusé de me le dire. J'ai donc couché avec un homme qui pouvait être au pire un mafioso, au mieux quelqu'un d'assez maladroit pour s'estropier avec son propre pistolet.

— Tu n'avais pas besoin de moi pour écarter cette dernière hypothèse, car même le plus maladroit des hommes ne peut pas se tirer une balle dans le bas du dos... Attends, je vais te montrer l'endroit exact, pour te le prouver...

Nick fit mine de sortir sa chemise de la ceinture de son jean, mais Sara ne se laissa pas prendre à cette ruse. Il cherchait à détourner son attention, et elle le soupçonnait d'être capable pour cela de se déshabiller entièrement. Mais s'il espérait transformer ainsi sa colère en désir, il allait être déçu !

— Arrête ! lui ordonna-t-elle d'un ton sec. J'ai une question à te poser, et je te conseille d'y répondre : quand comptais-tu me révéler ta véritable identité ? Demain ? Après-demain ? Mardi, juste avant mon départ ?

— Tu t'en vas mardi ?

— Oui. Réponds-moi, maintenant. Je veux la vérité !

— Alors la voilà : je ne t'aurais sans doute jamais dit qui j'étais réellement.

— Pourquoi ? Tu n'as pas confiance en moi ?

— Mon silence n'a rien à voir avec toi. Je ne t'ai pas raconté mon histoire parce que je la jugeais sans importance, tout simplement.

— Elle en a pourtant pour moi ! Les raisons et les circonstances de ta blessure font partie de ce que tu es, et comment veux-tu connaître vraiment quelqu'un si des pans entiers de son passé restent dans l'ombre ? Quand je pense que j'étais en train de t... enfin, de me prendre d'affection pour toi, alors même qu'il ne doit pas y avoir au monde personne plus différente de moi !

Nick soupira et fixa ses mains. Il avait le visage grave, et ce fut seulement après un long moment de réflexion qu'il déclara :

— Je me suis donné pour règle de parler le moins possible de mes problèmes. Au début, c'était dans le but de protéger les gens de mon entourage : s'ils ignoraient les tenants et les aboutissants de l'affaire, ils ne couraient pas de danger.

— Les promoteurs de la Golden Isles se sont attaqués à d'autres que toi ?

— Non, mais ils n'auraient pas hésité à supprimer toute personne qui en savait autant que moi sur eux. Quand j'étais à l'hôpital, j'ai reçu des lettres de menace visant ma famille. Ces scélérats n'avaient pas réussi à me tuer, mais ils voulaient m'empêcher de témoigner contre eux. Mes parents sont allés se mettre à l'abri dans une cachette sûre jusqu'à la fin du procès, et un juge est venu recueillir mon témoignage dans ma chambre d'hôpital, gardée par des policiers armés.

Ce récit fit frémir Sara. Comment aurait-elle réagi, si quelqu'un avait menacé son père ? Son sens du devoir l'aurait-il emporté sur la crainte de le perdre ? Nick avait refusé de se laisser intimider, mais il avait certainement passé des jours et des nuits d'angoisse, et s'il était arrivé quelque chose à ses parents, le sentiment d'avoir œuvré pour le bien de la société en envoyant des criminels derrière les barreaux n'aurait sûrement pas suffi à le réconforter.

— Cela a dû être affreux, pour toi et pour tes parents, murmura la jeune femme.

— Je ne te raconte pas tout ça pour que tu me prennes en pitié, mais pour que tu comprennes les raisons de mon silence.

— Il y en a plusieurs ?

— Encore deux. Comme je te l'ai dit, je désirais au début protéger mon entourage. Après le procès, c'est moi que j'ai cherché à protéger : je m'étais fait de dangereux ennemis, et j'ai eu peur qu'ils n'essaient de se venger. Les gens comme eux peuvent engager des tueurs même depuis une prison.

Nick marqua une pause et esquissa un sourire d'autodérision.

— Tu voulais la vérité ? reprit-il. Eh bien, tu dois être satisfaite : je t'offre la plus belle des preuves de franchise en t'avouant que la perspective de recevoir une autre balle dans le corps m'a longtemps donné des sueurs froides. Elle m'a également dissuadé d'accorder ma confiance à des gens que je ne connaissais pas presque aussi bien que moi-même, et c'est une habitude dure à perdre : elle devient comme une seconde nature. Je vis depuis six ans sans jamais parler de mon passé, et sous un faux nom… Je sais que ce n'est pas une excuse, mais une fois installé dans le secret et le mensonge, il est difficile d'en sortir.

Sara sentit sa colère refluer, remplacée par la vague montante d'une profonde tristesse à l'idée que Nick ne retrouverait peut-être jamais la spontanéité dans ses rapports avec les autres que son agression lui avait enlevée.

Il y avait cependant quelque chose d'illogique dans le choix qu'il avait fait, et elle ne put s'empêcher de lui demander :

— Pourquoi es-tu venu te réfugier sur l'île dont l'achat par ces escrocs a déclenché toute l'affaire ? Tu n'as pas pensé que, s'ils voulaient vraiment se venger de toi, c'est l'un des premiers endroits où ils enverraient un tueur te chercher ?

— Si, j'y ai pensé, mais Thorne Island ressemble à une citadelle : personne ne peut y débarquer à notre insu, et Winkie n'y amènerait jamais un inconnu sans nous demander d'abord notre feu vert.

— Il ne vous avait pourtant pas annoncé ma visite à moi.

— Non. Tu lui as tout de suite inspiré confiance. C'est la première fois que ça arrive.

— Je suis flattée... Et quelle est la troisième raison du secret que tu gardes sur ton histoire ?

— Je déteste qu'on me plaigne.

— Tu ne l'as même pas racontée à tes trois amis ?

— Si, mais je connais aussi la leur, et une sorte d'accord tacite nous lie : nous nous soutenons mutuellement, mais en actes, pas en paroles. Cela nous évite de nous apitoyer sur nous-mêmes.

Les hommes répugnaient à exprimer leurs émotions, Sara l'avait déjà constaté, et elle saisissait maintenant la nature du lien qui unissait ceux de Thorne Island. Elle alla s'asseoir près de Nick et déclara :

— Je comprends pourquoi il t'était difficile de me dire la vérité, et pourquoi tu es resté aussi longtemps sur cette île, mais il y aura forcément un moment où tu devras la quitter. Que feras-tu, alors ?

— Je n'ai aucune raison de partir. Au bout de six ans, je crois n'avoir plus rien à craindre des gens que j'ai envoyés en prison, mais je ne vois pas pourquoi je m'en irais : je me plais ici, je m'y sens chez moi, et je me suis même habitué à l'idée de partager la maison avec des vacanciers. Je peux toujours m'isoler dans ma chambre, et ce n'est pas un peu de remue-ménage dans les couloirs qui m'empêchera d'écrire mes romans.

Ainsi, elle ne faisait pas partie des projets d'avenir de Nick..., songea Sara. Même si elle s'en doutait déjà, la confirmation qu'il venait de lui en donner lui causa un choc, et ses yeux se remplirent de larmes.

— Tu enverras un jour tes manuscrits à un éditeur ? demanda-t-elle dans une tentative désespérée pour changer le cours de ses pensées.

— Peut-être, mais en attendant, ils sont très bien là où ils sont.

— A moisir dans des cartons ?

Nick haussa les épaules, puis posa la main sur le bras de Sara. Ce simple contact fit bondir son cœur dans sa poitrine, et elle sentit grossir la boule douloureuse qui lui nouait la gorge.

— C'est vrai, ce que tu disais tout à l'heure ? murmura Nick. Tu t'en vas mardi prochain ?

— Oui.

— J'espérais que tu resterais un peu plus longtemps.

Une larme coula sur la joue de Sara. Elle l'essuya discrètement, en se félicitant que la pénombre ambiante ne permette pas à Nick de bien voir son visage, mais il ne fallait surtout pas qu'elle éclate en sanglots, parce que le bruit la trahirait alors...

Une voix venant du jardin de l'hôtel créa heureusement la diversion dont elle avait besoin pour partir sans avoir l'air de s'enfuir :

— Sara ! Sara ! Où es-tu ?

— C'est mon père. Je dois y aller, déclara-elle avant de dégager son bras et de sauter sur ses pieds.

Elle courut ensuite vers la porte, et la franchit sans se retourner. A quoi cela aurait-il servi, puisqu'elle savait que Nick n'esquisserait pas un geste pour la retenir ?

19.

Nick était tellement furieux qu'il aurait volontiers cassé quelques cruches et piétiné un ou deux paniers à vendange pour se soulager. La pensée du chagrin que cela ferait à Sara l'en empêcha, et il trouva ce refus de la peiner très généreux de sa part, car c'était elle la cause de sa colère. Il lui avait raconté son histoire, comme elle le lui avait demandé, et juste au moment d'aborder un sujet qu'il jugeait, lui, beaucoup plus important — l'avenir de leur relation —, elle l'avait planté là pour aller rejoindre son père...

La franchise qu'elle disait essentielle dans les rapports humains n'avait donc finalement pas grande utilité : il avait été franc avec elle, et cela ne lui avait rien rapporté. C'était peut-être même par simple curiosité qu'elle avait voulu connaître les circonstances de sa blessure. Cette curiosité étant maintenant satisfaite, elle n'attendait plus rien de lui.

Les gens étaient décidément très décevants, songea Nick, et il s'éviterait bien des tracas en laissant Sara Crawford retourner à sa comptabilité comme s'ils ne devaient jamais se revoir. Il avait eu trop de mal à se remettre des conséquences psychologiques de son agression pour avoir envie de se créer de nouvelles complications.

Le départ de Sara lui permettrait de retrouver sa vie tranquille d'avant. Tout rentrerait dans l'ordre, et c'était beaucoup mieux ainsi.

Arrivé à cette conclusion, Nick se leva et sortit du pressoir, mais le temps qu'il arrive au Cozy Cove, sa belle assurance l'avait quitté : s'il était si sûr que Sara ne pouvait lui poser que des problèmes, pourquoi éprouvait-il une telle douleur à l'idée de renoncer à elle ?

Pendant la soirée du vendredi et la journée du lendemain, Sara essaya de chasser Nick de son esprit, tout en sachant ses efforts aussi vains que l'espoir de le voir changer d'avis : jamais il ne quitterait Thorne Island. Sa déception lui faisait comprendre qu'elle avait nourri cet espoir, contre toute logique. Si elle souffrait maintenant, elle ne pouvait donc s'en prendre qu'à elle-même, mais cela ne diminuait en rien sa peine.

Ses tristes pensées ne l'empêchèrent pas de travailler efficacement avec Candy à la décoration des chambres : elles choisirent les rideaux, les parures de lit et les tapis qui s'harmoniseraient le mieux ensemble, et lorsqu'elles eurent fini de les installer, une gamme de coloris différente donnait à chaque pièce sa propre individualité.

Ryan ne les quitta pas d'une semelle, mais Sara aurait aussi bien pu ne pas être là : il n'avait d'yeux que pour Candy, et c'était à lui que cette dernière adressait tous ses sourires, et le feu roulant de ses remarques sur les sujets les plus divers.

Le samedi après-midi, deux femmes avaient appelé Sara en réponse à sa petite annonce. Domiciliées à Put-in-Bay, elles ne semblaient pas effrayées par la perspective d'une traversée quotidienne sur le bateau de Winkie, et elles s'étaient déclarées prêtes à ajouter un peu de ménage et de cuisine à la gestion de l'hôtel. Sara nota leur numéro de téléphone et promit de les informer rapidement de sa décision, mais elle voulait prendre le temps de réfléchir à une autre solution.

Depuis la veille, Ryan lui paraissait en effet la personne idéale pour gérer le Cozy Cove. Candy avait tout l'air d'être tombée amoureuse et de lui, et de Thorne Island. Elle devait repartir à Fort Lauderdale le lundi suivant, mais elle reviendrait sans doute bientôt rejoindre son Eliot, qui aurait alors sur l'île tout ce qu'il fallait pour redonner un sens à sa vie : un emploi et une compagne.

Ben Crawford, de son côté, n'était pas resté inactif. Avec le surplus des matériaux commandés pour la maison, il avait entièrement réparé la jetée, puis entrepris de la repeindre. Nick l'aidait, Sara le soupçonnant d'avoir trouvé là un prétexte pour maintenir entre eux le plus de distance possible.

Ils ne s'étaient pas parlé, et s'étaient à peine vus, depuis leur conversation dans le pressoir : à l'heure des repas, Nick se préparait un sandwich et allait le manger seul dehors.

Le samedi soir, il monta s'enfermer dans sa chambre alors que la nuit n'était pas encore tombée, et Sara en profita pour se rendre sur la jetée. Malgré le chagrin qui lui gonflait le cœur, elle éprouva un profond sentiment de satisfaction devant le résultat du travail de son père et de Nick. Thorne Island commençait enfin à ressembler à l'image qu'elle s'en était faite le jour où Me Adams l'avait informée du legs de sa grand-tante.

Il allait pourtant lui falloir partir, et elle laisserait derrière elle bien plus qu'un rêve en cours de réalisation

— l'homme qu'elle aimerait toujours et qu'elle n'aurait jamais.

Puis le dimanche arriva, et Matthew Brody avec lui. Nick et Sara furent alors obligés de se parler de nouveau : quand une tempête menaçait, la nécessité de se serrer les coudes faisait passer au second plan les blessures les plus douloureuses.

Quand Nick vit s'approcher de l'île le bateau de Winkie, avec Matthew à son bord, il dit à Ben de rester là pour l'accueillir et sauta dans la Coccinelle. Arrivé au Cozy Cove, il franchit la porte d'entrée comme un ouragan et cria :

— Sara ! Sara ! Où es-tu ?

Pas de réponse. Il se rendit dans la cuisine, sortit sur la terrasse et aperçut alors la silhouette de la jeune femme au milieu des vignes. Quand il l'appela, elle tourna la tête dans sa direction, et les grands signes qu'il lui adressa la firent abandonner sa tâche et courir le rejoindre.

Ses yeux brillaient d'excitation et, l'espace d'un instant, Nick regretta de ne pas en être la cause. Quelques jours plus tôt seulement, c'était pour se jeter dans ses bras qu'elle se serait élancée vers lui avec tant d'impétuosité.

— Matthew est là ? demanda-t-elle, hors d'haleine.

— Oui.

— Et Brody n'est toujours pas au courant de sa visite ?

— Non, et j'ai peut-être eu tort de ne pas l'en avertir, finalement. Il aurait eu le temps de décharger sur moi une partie de sa colère. Maintenant elle risque d'exploser et de provoquer autant de dégâts qu'une éruption volcanique.

Sara sourit, et Nick mesura alors combien ce sourire lui avait manqué au cours des jours précédents.

— Trop tard ! déclara-t-elle. Brody a sûrement entendu le bateau, et il doit être en ce moment même sur le chemin de la jetée. Il est toujours le premier à y arriver quand Winkie s'annonce.

— C'est vrai. On croirait qu'il attend chaque fois plus qu'un carton d'épicerie ou son dernier relevé bancaire.

— Il faut le devancer, sinon mon père va se retrouver à arbitrer un match de boxe ! Tu connais un raccourci ?

— Oui, viens !

Nick prit la jeune femme par la main, et ils entrelacèrent spontanément leurs doigts. Nick sentit sur ceux de Sara la terre du vignoble, la chaleur du soleil, et il eut soudain envie de rester seul avec elle, pour rattraper toutes ces heures perdues à tenter de se persuader qu'il serait mieux sans elle.

Mais le devoir l'appelait : il devait au moins essayer d'empêcher Brody de sauter à la gorge de son fils.

Il entraîna Sara dans la cour du Cozy Cove, puis à travers une étendue de broussailles qui menait directement à la jetée. Ils l'atteignirent juste au moment où Brody débouchait du sentier en grommelant :

— Qui est-ce, encore ? Il y aura bientôt autant de monde sur cette île que dans le métro aux heures de pointe !

Les reflets du soleil sur l'eau ne permettaient heureusement pas de bien distinguer les deux hommes debout sur le pont du bateau, et comme Brody ne s'attendait pas à voir son fils, il ne le reconnaîtrait sans doute pas tout de suite. Nick s'engagea sur la jetée et attrapa l'amarre que Winkleman lui lançait. Il l'attacha, tendit la main à Matthew pour l'aider à débarquer et se plaça ensuite entre lui et le rivage afin de le cacher aux yeux de Brody le temps de lui parler.

Matthew, qu'il n'avait encore jamais vu, était un homme d'une trentaine d'années au visage franc et ouvert. La bonne impression qu'il avait faite à Nick au téléphone se trouvait ainsi confirmée, et ce fut d'une voix chaleureuse qu'il déclara :

— Vous êtes Nick, n'est-ce pas ? Ravi de vous rencontrer enfin ! Mais pourquoi mon père reste-t-il sur la rive ? J'espérais un peu plus d'empressement de sa part !

— C'est qu'en fait, il ne vous a pas encore reconnu. Je ne lui ai pas annoncé votre visite.

— Je repars tout de suite, dans ce cas ! Je tiens à la vie !

Une expression de peur se peignit soudain sur les traits de Matthew, et des pas résonnèrent juste après sur les planches de la jetée, si énergiques qu'ils les faisaient trembler. Nick se retourna ; Brody fonçait vers eux, l'air aussi aimable qu'un taureau en train de charger.

— C'est bien toi, Matthew ? gronda-t-il.

— Oui, c'est moi, papa, répondit l'interpellé d'une voix timide.

Brody s'arrêta à la hauteur de son fils et lui lança, les poings sur les hanches :

— Qu'est-ce que tu fabriques ici ?

— C'est à ma demande qu'il est venu, indiqua Nick, alors si tu as des envies de meurtre, passe-les sur moi.

— De quoi tu te mêles ?

— Laisse Nick tranquille, papa ! intervint Matthew. Il m'a en effet demandé de venir, mais rien ne m'y obligeait. Si j'ai accepté, c'est parce que je suis d'accord avec lui : je ne peux plus me contenter de prendre de tes nouvelles par personne interposée. Nous devons réapprendre à nous parler, toi et moi.

— C'est par Nick que tu as eu de mes nouvelles ?

— Oui, et aussi par Vernon Russell, le banquier. Je voulais m'assurer que tu allais bien, et, il y a quelques jours, Nick m'a enfin donné l'information que j'attendais : ta colère contre moi s'était calmée, et tu étais prêt à renouer le dialogue.

Le grognement qui accueillit ces paroles fit reculer Matthew d'un pas.

— Désolé, lui dit Nick, je me suis trompé. Je croyais qu'il y avait moyen de percer la carapace d'égoïsme de votre père, mais elle est trop épaisse, et je ne suis même plus sûr qu'il y ait un cœur dessous.

— Si je suis comme ça, s'écria Brody, c'est à cause de gens comme toi, Nick, qui trahissent leurs amis, et comme mon bon à rien de fils, pour qui je n'ai jamais été qu'un robinet à dollars, le pourvoyeur d'un argent qu'il est trop paresseux pour gagner lui-même.

— Tu as vite fermé le robinet à dollars, papa, souligna Matthew, et même si ce n'était pas ton intention, tu m'as rendu là un grand service, car je n'ai plus besoin de ton argent, maintenant.

— Tu as épousé une riche héritière ? demanda Brody, sarcastique.

— Non, j'ai grandi, tout simplement.

Voyant Sara s'avancer sur la jetée, Nick lui fit signe de regagner la rive. Il ne voulait pas qu'elle assiste à cette scène désagréable, mais elle l'ignora, bien entendu, et lança aux belligérants avec un entrain forcé :

— Je vois que vous vous parlez ! Tout va s'arranger, alors : rien ne vaut une franche explication pour dissiper les malentendus et repartir ensuite sur des bases saines…

Si nous allions tous au Cozy Cove, à présent ? Nous y serons mieux, et je vous préparerai du thé glacé.

Winkleman, qui s'était jusque-là prudemment tenu à l'écart, rejoignit le groupe, et la petite troupe se dirigea vers la rive — à l'exception de Brody, qui ne bougea pas et lança à Sara d'un ton venimeux :

— Tout ça, c'est votre faute !

— Je le sais, répondit-elle en s'arrêtant pour se tourner vers lui. Vous aurais-je invité à venir boire du thé glacé chez moi, autrement ?

Ils se toisèrent sous le regard intéressé de Nick. Lequel des deux allait baisser les yeux le premier, admettant ainsi sa défaite dans le bras de fer qui les opposait ?

Ce fut Brody qui céda. Il jura entre ses dents, contourna la jeune femme et prit le chemin de l'hôtel sans rien ajouter.

Sara le suivit, et Nick attendit qu'elle soit à sa hauteur pour se remettre en marche.

— J'adore les réunions familiales, observa-t-elle malicieusement.

— Je crois que le plus dur est passé en ce qui concerne Brody et son fils. Nous verrons demain comment Dexter réagit à la surprise que je lui ai préparée à lui.

— Quelle surprise ?

— La visite du président et du directeur sportif des Cleveland Browns.

— C'est ton coup de téléphone de l'autre jour qui les a décidés à venir ?

— Oui. Ils ont eu l'air ravis de savoir enfin où Dexter se cachait depuis tant d'années.

— Je suis sûre qu'ils vont lui offrir un poste d'entraîneur !

— Je le pense aussi, et j'espère qu'il acceptera, malgré le vide que fera son départ, mais les choses changent, que cela me plaise ou non... Ta secrétaire a complètement tourné la tête à Ryan, Brody va peut-être finir par ressembler à un être humain...

— Tu en portes la responsabilité autant que moi : c'est toi qui as appelé Matthew.

— Seulement parce que tu ignorais son existence.

La main de Sara se posa doucement sur le bras de Nick, et ce geste l'émut profondément. Il lui sembla que tous ses problèmes disparaissaient comme par enchantement — tous, sauf un : Sara s'en allait le surlendemain, et il voyait ce moment approcher avec une appréhension grandissante.

Commencés autour d'un verre de thé glacé, les pourparlers de paix entre Brody et son fils se continuèrent au whisky, et ils auraient pu se terminer au champagne s'il y en avait eu dans la cave du Cozy Cove. Après des heures d'une discussion parfois orageuse, Brody et Matthew finirent en effet par reconnaître leurs torts respectifs. Le premier admit avoir été une fois dans sa vie un fils irresponsable, qui avait demandé à son père de payer la facture de ses erreurs, et le second concéda que sa carrière militaire et sa réussite dans les affaires avaient peut-être fait de lui un père trop exigeant.

Les deux hommes avaient encore beaucoup de chemin à parcourir avant de se comprendre vraiment et de se pardonner, mais lorsque Matthew accepta de rester pour la nuit au Cozy Cove, Nick se dit que la partie était gagnée.

Et cela lui parut encore plus évident le lendemain matin, quand Brody annula le jour des fouilles pour emmener son fils à la pêche.

Oui, les choses changeaient à Thorne Island, songea alors Nick. Devait-il le regretter ? Devait-il maudire le jour où Sara Crawford avait débarqué sur l'île ? Aurait-il préféré ne jamais voir le vent jouer dans ses cheveux blonds, ne jamais goûter à ses lèvres, ne jamais l'entendre gémir de plaisir ni sentir palpiter contre lui ce corps qu'il avait appris à si bien connaître ?

Le fait de se poser ces questions rappelait douloureusement à Nick que toutes ces joies appartenaient au passé, et pourtant il n'avait même pas besoin de réfléchir pour y répondre : non, il ne regrettait rien.

Le directeur sportif des Cleveland Browns appela Sara sur son portable le lundi après-midi, alors qu'elle attendait le verdict des inspecteurs venus vérifier la conformité du Cozy Cove aux normes de sécurité. Winkleman les avait amenés trois heures plus tôt, et il était reparti avec Ben, Candy et Matthew.

— Nous sommes sur le ferry de Put-in-Bay, indiqua le directeur sportif, et je voulais m'assurer que l'homme chargé de nous emmener sur votre île sera bien là à notre arrivée.

— Ne vous inquiétez pas : il sera là. A tout à l'heure !

Après avoir coupé la communication, la jeune femme courut prévenir Nick, qui travaillait dans sa chambre. Il éteignit aussitôt son ordinateur, se leva et s'écria, mi-figue, mi-raisin :

— L'opération Dexter est lancée !

Sara lui adressa un sourire contraint, puis le regarda s'éloigner en direction de l'escalier. Son sourire s'effaça dès qu'il s'y fut engagé, et elle repensa à sa dernière conversation avec son père. Si seulement les choses pouvaient être aussi simples qu'il l'affirmait…

« A ta place, lui avait-il déclaré le matin dans la cuisine, je ne retournerais pas en Floride : je tenterais ma chance avec Nick. Je l'ai toujours considéré comme un homme de valeur, mais je l'apprécie encore plus depuis que je suis ici.

— Je le lui dirai. Il sera sûrement très content de le savoir.

— Tu ferais mieux de lui dire ce que tu ressens, toi.

— Rien de spécial », avait-elle répondu.

Son père n'avait pas eu l'air de la croire, mais il n'avait pas insisté, et elle s'en voulait maintenant de lui avoir menti.

« Cela n'aurait rien changé, songea-t-elle en regagnant sa chambre. Je n'ai plus d'argent, et plus le temps ni le courage de me battre pour conquérir un homme qui n'a jamais vu dans notre relation qu'une aventure sans lendemain. »

Nick se rendit chez Dexter et le trouva installé devant la retransmission d'un match de base-ball. Il s'assit et la regarda avec lui jusqu'à ce que le crachotement d'un moteur retentisse au loin. Il prit alors la télécommande et éteignit l'appareil.

— Hé ! Le match n'est pas terminé ! protesta Dexter. Je veux le voir en entier !

— Nous avons quelque chose de beaucoup plus important à faire.

— Brody a convoqué une nouvelle réunion ?

— Non. Il y a bien un rendez-vous de programmé, mais à mon initiative, cette fois… Tu n'as pas entendu le bateau de Winkie ?

— Si, mais il doit apporter une commande d'épicerie. Va la chercher avec les autres. Je tiens à voir la fin du…

— Il ne s'agit pas d'une commande d'épicerie, et ta présence est indispensable.

Dexter quitta à contrecœur son vieux fauteuil de cuir et se dirigea vers la porte.

— Tu n'as pas de chaussures, observa Nick.

— Et alors ? Depuis quand est-il interdit de se promener pieds nus à Thorne Island ?

— Mets ça ! ordonna Nick en lançant à son ami une paire de baskets pointure quarante-huit. Tu comprendras plus tard.

Un bruit de voix s'échappait des fenêtres ouvertes du salon lorsqu'ils arrivèrent dans la cour du Cozy Cove.

— Tu devrais aller jeter un coup d'œil discret à l'intérieur, déclara Nick. Cela t'évitera d'avoir l'air trop ahuri quand nous entrerons dans la pièce.

Ce conseil n'était pas inutile, car après l'avoir suivi, Dexter se plaqua contre le mur, les yeux écarquillés et le corps agité de tremblements.

— Tu… tu sais qui sont ces hommes ? bredouilla-t-il.

— Evidemment, puisque c'est moi qui les ai invités ! répondit Nick. Les Cleveland Browns ont changé de président et de directeur sportif il y a quelques années, mais j'étais sûr que tu les reconnaîtrais : ils passent souvent à la télévision.

— Ils travaillaient déjà dans l'encadrement de l'équipe à mon époque, mais à des postes moins importants… Qu'est-ce qu'ils fabriquent ici ?

— Ils sont venus te voir.

— Tu plaisantes ?
— Pas du tout.
— Que veulent-ils ?
— Un autographe, j'imagine.
— Quoi ?
— Mais non ! Je plaisante... Ils ne se seraient pas risqués sur le vieux rafiot de Winkie juste pour avoir ta signature sur un bout de papier !
— Pour quoi, alors ?
— A mon avis, ils vont te faire une proposition que tu ne pourras pas refuser, mais ne me demande pas laquelle : je l'ignore.
— Ils recrutent des losers, maintenant ?
— Apparemment, mais le meilleur moyen de le savoir, c'est d'aller leur parler.

Mi-tirant, mi-poussant, Nick parvint à emmener Dexter dans le vestibule de l'hôtel. Une fois le seuil du salon franchi, cependant, toute appréhension quitta le colosse : il s'approcha des deux visiteurs d'une démarche assurée et leur donna une poignée de main si vigoureuse qu'elle leur arracha une grimace de douleur.

S'ils avaient eu des doutes sur la condition physique de l'ancien footballeur, songea Nick en souriant intérieurement, cette démonstration de force les aurait certainement chassés.

— Alors, c'est ici que tu te cachais ? s'écria le président des Cleveland Browns.
— Oui, pourquoi es-tu parti sans laisser d'adresse ? renchérit le directeur sportif. On s'inquiétait pour toi et on t'a cherché partout, mais tu t'étais volatilisé !
— Bonne chance, murmura Nick à Dexter avant de regagner le vestibule et de monter l'escalier.

Il appréciait d'habitude la solitude qui l'attendait dans sa chambre, mais il la redoutait aujourd'hui, car elle lui ferait sentir à quel point la présence de Sara lui manquait, à quel point il avait besoin d'elle. Nick Bass le reclus volontaire lui en voulait des bouleversements qu'elle avait provoqués sur l'île, mais Nicolas Romano, le journaliste qui s'était autrefois porté au secours d'une vieille dame manipulée par des escrocs, savait que les hommes de Thorne Island devaient beaucoup à leur nouvelle propriétaire.

Ces deux individualités avaient cependant une chose au moins en commun : le désir de passer avec Sara chaque minute de chaque heure, et de croire qu'elle allait rester.

Nick longea le couloir du premier étage. Toujours fermées avant l'arrivée de Sara, les portes de toutes les chambres étaient maintenant ouvertes en permanence, comme pour inviter les gens à venir profiter de l'atmosphère accueillante qu'y créaient les meubles bien cirés, les murs fraîchement repeints, les tissus de couleur vive et le mouvement paresseux des ventilateurs de plafond.

Les fenêtres étaient ouvertes, elles aussi, et Nick alla regarder par l'une d'elles le jardin désherbé et, au-delà, le vignoble inondé de soleil.

Une mince silhouette marchait entre les rangs... Sara devait être en train de dire au revoir à ses vignes, de leur promettre que Ryan s'occuperait bien d'elles après son départ...

Dans à peine vingt-quatre heures, elle aurait quitté Thorne Island, songea Nick, le cœur serré. A moins qu'il ne fasse quelque chose pour l'en empêcher.

Tout effort physique long ou violent lui rappelait le combat qu'il avait livré pour recouvrer la capacité de marcher. C'était la bataille la plus dure qu'il avait jamais eu à mener, et celle qu'il avait été le plus heureux d'avoir gagnée, pensait-il jusque-là. Mais maintenant, il en était moins sûr. Il se demandait s'il n'aurait pas encore plus de mal à convaincre Sara de rester, et si cette victoire — à supposer qu'il la remporte — ne le rendrait pas encore plus heureux.

20.

Nick accepta l'invitation de Brody à venir manger une pizza surgelée chez lui. Le peu de préparation que ce genre de repas demandait était encore trop pour son hôte, constata-t-il : Brody n'attendit même pas que le fromage ait fondu pour sortir le plat du four. Ce n'était pas non plus un gourmet : il avala sa moitié de pizza tiède en trois bouchées, et affirma ensuite n'avoir jamais rien mangé d'aussi bon. Cette dernière déclaration prouvait cependant qu'un nouveau Brody était en train d'apparaître — un Brody qui ne voyait pas tout en noir et semblait même envisager l'avenir avec un certain optimisme.

La visite de son fils en était bien sûr la raison principale, mais le départ prochain de Sara devait également y être pour quelque chose, même s'il paraissait un peu mieux disposé à son égard depuis la veille.

L'ironie voulait que ce départ ait l'effet inverse sur le moral de Nick.

Le jour tombait quand il rentra au Cozy Cove. Pensant trouver Sara dans la cuisine, il fit le tour de la maison, mais seule la lampe extérieure était allumée de ce côté-là de l'hôtel. La jeune femme était sûrement retournée une dernière fois dans les vignes, et Nick préféra aller l'y rejoindre plutôt que de l'attendre.

Elle était en fait près de l'ancien pressoir, immobile comme une statue dans la lumière incertaine du crépuscule. Nick s'approcha d'elle, résolu à lui parler, mais dans l'incertitude quant au choix de ses mots.

Bien qu'il n'ait fait aucun effort particulier pour étouffer le bruit de ses pas, Sara ne parut pas s'apercevoir de sa présence, et il décida de ne pas l'en avertir. S'il devait la surprendre et risquer ainsi de s'attirer sa colère, autant que ce soit par un contact physique dont il mourait d'envie.

Il s'arrêta derrière elle, posa les mains sur ses épaules et les fit glisser le long de ses bras. Leurs doigts s'entrelacèrent ensuite d'eux-mêmes, comme la veille, et Sara s'abandonna contre Nick avec un petit soupir d'aise. Cette réaction le ravit d'autant plus qu'elle était inattendue.

Encouragé, il resserra son étreinte et se pencha pour la regarder.

— Est-ce un sourire que je vois ? déclara-t-il. Et puis-je espérer que j'en suis la cause ?

— C'est bien un sourire, répondit-elle en appuyant la tête contre sa poitrine, mais la raison en est l'autorisation de rouvrir le Cozy Cove que j'ai obtenue aujourd'hui. Il manque une salle de bains, mais les inspecteurs m'ont accordé un délai pour en aménager une deuxième.

— Toutes mes félicitations ! Tu peux être fière de toi.

— Je le suis de nous tous.

— Quand les premiers clients arriveront-ils ?

— Réjouis-toi : pas avant les vendanges — quatre mois environ —, et encore, à condition que j'aie trouvé d'ici là quelqu'un d'aimable et de courtois pour les accueillir.

— Aimable, courtois... Je crains d'avoir besoin d'un dictionnaire pour comprendre le sens de ces mots.

— Et dire que tu m'as reproché maintes et maintes fois ma volonté de tout changer ici ! observa Sara en riant. Tu viens de me donner la preuve que je n'avais pas accompli grand-chose en ce qui te concerne.

— Je vais te prouver le contraire.

Nick tourna doucement Sara vers lui et l'embrassa, en mettant dans son baiser toute la passion qu'il se sentait impuissant à exprimer avec des mots. La jeune femme écarta les lèvres, et ils se perdirent dans le plaisir de leur entente retrouvée, mais la jeune femme finit par repousser Nick et reculer d'un pas.

— Non, il ne faut pas, murmura-t-elle.

— Pourquoi ? C'est tellement agréable ! Il ne doit pas y avoir au monde deux personnes entre lesquelles le courant passe aussi bien qu'entre nous.

— C'est bien là le problème.

— Moi, je considère ça plutôt comme un cadeau du ciel.

— Je ne pourrai malheureusement pas emporter ce genre de cadeau dans mes bagages.

— Mais pour le moment, nous sommes ensemble, alors si nous allions admirer les miracles que tu as réalisés dans le vignoble ?

— Il fait presque nuit. Nous n'y verrons pratiquement rien.

— Ce n'est pas grave. Je n'ai pas vraiment envie de contempler des grappes de raisin. Je t'ai proposé d'aller là-bas seulement parce que tu as tendance à y oublier tes griefs contre moi.

Prenant sa compagne par la main, Nick l'entraîna vers les vignes. Ils parcoururent rangée après rangée de ceps aux sarments soigneusement taillés, au feuillage vert sous lequel se cachait la promesse d'une récolte qui devrait tout au savoir-faire et à la détermination de Sara.

— Si nous cherchions une solution au problème dont tu parlais tout à l'heure ? se risqua finalement à demander Nick.

Sara contint à grand-peine un soupir exaspéré. La suggestion de Nick était parfaitement vaine : il n'existait aucun moyen d'éviter la rupture entre un homme qui ne voulait pas partir d'un endroit et une femme qui ne pouvait pas y rester. Elle lâcha sa main et se tourna vers lui, espérant voir dans ses yeux gris au moins un peu de la douleur qu'elle éprouvait, mais ils la fixaient sans émotion apparente.

— Il n'y a pas de solution, déclara-t-elle. Ou plutôt, il y en avait une, mais tu en as exclu la possibilité vendredi dernier dans le pressoir.

— Alors pourquoi viens-tu de m'embrasser avec autant d'ardeur qu'avant ce jour ?

— C'était un baiser d'adieu. J'ai commis une erreur en me donnant à toi. Maintenant, nos chemins se séparent, et c'est sans doute mieux ainsi.

— Je le croyais, moi aussi, mais j'ai changé d'avis.

— Qu'attends-tu de moi, exactement ? Ma tâche, ici, est terminée : Brody s'est réconcilié avec son fils, Dexter va intégrer l'encadrement de son ancienne équipe, Ryan est amoureux, et toi, tu retrouveras dès demain ta chère tranquillité, mais dans des conditions de vie beaucoup plus sûres et agréables... Que veux-tu de plus ?

— Toi.

— Pour combien de temps ? Une semaine ? Un mois ?

Le visage de Nick s'anima enfin, mais Sara n'y lut que de la surprise.

— Tu peux rester autant de temps qu'il te plaira, dit-il. Cette île t'appartient, non ?

— Tu n'as pas répondu à ma question, mais j'ai d'abord un point important à préciser : contrairement à ce que tu as l'air de penser, je n'ai pas les moyens de tout abandonner pour m'installer ici. Je n'ai plus d'argent, et si je ne retourne pas vite à Fort Lauderdale, je n'aurai même plus de travail.

— Tu auras malgré tout un toit, observa Nick avec un geste en direction du Cozy Cove.

Sara sentit monter en elle une violente colère : cet homme ne comprenait décidément rien à rien ! Jugeant inutile de prolonger une discussion qui n'amènerait aucune solution et risquait même de dégénérer en dispute, elle pivota sur ses talons et commença de s'éloigner.

Une main se referma sur son bras, l'obligeant à s'arrêter. Le regard furibond qu'elle lança à Nick aurait dû le convaincre de la lâcher, mais il n'en fit rien.

— Si tu crois que je vais te laisser t'enfuir au milieu d'une conversation aussi importante, tu te trompes ! s'écria-t-il.

Malheureusement pour lui, cette remarque augmenta encore la fureur de la jeune femme.

— Tu oses m'accuser de m'enfuir ? répliqua-t-elle. Tu ne vois donc pas que c'est toi le lâche, dans cette affaire ? Si tu veux tellement que nous soyons ensemble, pourquoi ne viens-tu pas à Fort Lauderdale ? Tu attends peut-être que j'admette que je tiens à toi ? Eh bien, oui, je l'admets. Maintenant, si tu partages ce sentiment, agis en conséquence et monte demain dans l'avion avec moi !

Les mâchoires de Nick se crispèrent et sa respiration s'accéléra. Il était en colère, lui aussi, mais cela n'empêcha pas Sara de poursuivre :

— Tu vis depuis six ans comme un homme traqué, alors que tu reconnais toi-même ne plus avoir à craindre la vengeance de tes ennemis. Tu te plais sans doute sur cette île, mais c'est pour de mauvaises raisons, parce que tu as peur de montrer au monde l'image que tu as de toi-même, celle d'un homme diminué physiquement. Tu devrais réagir et aller de l'avant, trouver le courage de sortir du cocon que tu t'es tissé ici.

— Je n'ai pas d'ordres à recevoir de toi !

— Je ne prétends pas t'en donner. Rien ne t'oblige à vendre tes manuscrits. Tu peux continuer à vivre par procuration, à travers les aventures d'Ivan Banning, et ne quitter Thorne Island que les pieds devant, mais moi, je ne peux y rester, à réchauffer ton lit et flatter ton ego : je dois partir.

Ces mots suffirent à faire tomber la colère de Nick, et une telle expression de détresse se peignit sur son visage que Sara en eut les larmes aux yeux. Elle l'aimait et souffrait de le voir malheureux, mais c'était à lui, maintenant, de choisir.

« Dis quelque chose, Nick ! Je t'en prie, si tu tiens un tant soit peu à moi, dis quelque chose ! »

De longues secondes passèrent, et Nick demeura silencieux. Comprenant qu'il était vain d'attendre, Sara dégagea doucement son bras et prit le chemin du Cozy Cove. Sa colère à elle aussi s'était évanouie, remplacée par une sorte de sombre désespoir.

*
* *

Le lendemain matin, alors que Sara prenait son petit déjeuner dans la cuisine, Ryan y entra en annonçant :

— Je reviens des vignes. Le raisin grossit à vue d'œil.

— Tant mieux, et je sais que vous vous en occuperez bien en mon absence. Je vais vous laisser mon portable, pour que vous puissiez m'appeler sans avoir à emprunter celui de Brody. Vous me donnerez des nouvelles du vignoble, et nous déciderons ensemble de la date de la récolte.

— Entendu... Vous m'autorisez à m'en servir aussi pour appeler Candy de temps en temps ?

— Bien sûr !

Ryan s'assit en face de Sara et lui demanda timidement :

— Vous serez là pour les vendanges ?

— Non, je ne pense pas.

Un toussotement se fit entendre du côté de la porte du jardin restée ouverte. La jeune femme se retourna et vit Brody immobile dans l'encadrement, avec sur le visage une expression embarrassée qui ne lui ressemblait pas. Elle l'invita de la main à entrer, puis lui déclara, mi-ironique, mi-sérieuse :

— Vous êtes venu vous assurer que mes bagages étaient prêts ?

— Non, je suis venu vous dire au revoir, et aussi m'excuser pour les quelques fois où j'ai peut-être un peu manqué de civilité à votre égard. Ça n'avait rien de personnel : c'est juste que l'idée de devoir partager l'île avec...

— Je comprends, et j'accepte vos excuses. Vous voulez du café ?

— Oui, volontiers.

Sara se leva, servit une tasse de café à chacun des deux hommes, et Brody observa quand elle se fut rassise :

— D'après Matthew, je ne suis pas toujours facile à vivre, mais vous n'avez pas à vous inquiéter pour les futurs clients de l'hôtel : je ne chercherai pas à les faire fuir. Je ne serai d'ailleurs pas tout le temps là, car j'ai l'intention d'aller en Pennsylvanie plusieurs fois par an. J'ai envie de connaître mes petits-enfants et de voir si ma belle-fille est une femme aussi merveilleuse que mon fils l'affirme.

A l'idée de l'épreuve qui attendait l'épouse de Matthew, un élan de pitié souleva Sara, mais elle se força à sourire et remarqua :

— Je suis sûre qu'elle vous plaira et que vous vous entendrez très bien, tous les deux.

— Bon, je vous ai dit tout ce que j'avais à vous dire ! déclara Brody en reposant sa tasse encore à moitié pleine sur la table. Bon voyage, mademoiselle Crawford, et bonne chance pour la suite !

— Merci.

Winkleman arriva à midi, aux commandes de la péniche qui ramènerait Sara et sa voiture à Put-in-Bay. Dès qu'elle entendit le bruit du moteur, elle prit ses valises et quitta sa chambre. La porte de Nick, à l'autre bout du couloir, était fermée, et le silence régnait dans la maison. La jeune femme descendit l'escalier, sortit dans la cour et mit ses bagages dans le coffre de la Volkswagen.

Tandis qu'elle s'éloignait du Cozy Cove, elle garda l'œil rivé sur le rétroviseur pour contempler l'hôtel une dernière fois. Il avait encore plus de charme qu'elle ne l'avait cru possible au début des travaux. Jamais elle ne s'était autant investie dans aucun projet, et le résultat la remplissait de fierté.

Des images du Cozy Cove aux différentes saisons se formèrent dans son esprit. Dans quelques semaines, les arbres auraient toutes leurs feuilles et répandraient autour d'eux une ombre fraîche et protectrice. Les fleurs sauvages du jardin créeraient une débauche de couleurs, et les tulipes plantées par Ryan le long de la façade se balanceraient dans la brise tiède du soir.

A l'automne, les abords de la maison se pareraient de rouges et d'ors. Le chemin de la jetée se couvrirait d'un tapis de feuilles séchées qui craqueraient sous les pas des promeneurs.

Mais c'était l'hiver que Sara avait le plus de plaisir à imaginer : la neige sur le toit, la fumée qui s'échappait de la cheminée, les fenêtres éclairées, promesse de bien-être et de chaleur après le froid du dehors... Il n'y avait pas d'hiver en Floride, et cela lui manquait tellement qu'elle décida de passer une semaine ou deux à Thorne Island l'hiver suivant. Avec un peu de chance, Nick aurait alors perdu de son emprise sur elle.

Maintenant arrivée au pied de la jetée, la jeune femme dut revenir au présent. Dexter était là, et il aida Winkleman à installer les rampes métalliques, puis à guider Sara lorsqu'elle monta la Coccinelle sur le pont. Il la rejoignit ensuite à bord et la serra maladroitement dans ses bras en déclarant :

— Promettez-moi de regarder les matchs des Cleveland Browns à la télévision ! Et si vous devez pour ça prendre un abonnement spécial, c'est moi qui le paierai.

— Ce n'est pas la peine, et ne vous inquiétez pas : je ne manquerai aucun match de votre équipe, et je me sentirai très fière quand je vous verrai sur le banc de touche, au milieu des autres entraîneurs.

— Il faut partir, Sara, sinon vous allez rater votre avion ! intervint Winkleman.

Dexter sauta sur la jetée et poussa le gros bateau dans les eaux bleues du lac Erié. Sara s'accouda au bastingage, face à l'île, et scruta la rive à la recherche de la seule personne qui ne lui avait pas dit au revoir. Nick resta invisible, mais c'était peut-être mieux ainsi. Aucune parole, aucun geste n'avait le pouvoir d'abattre les obstacles qui se dressaient entre eux.

Les yeux de la jeune femme se remplirent de larmes, qu'elle refoula d'un battement de paupières.

« Arrête de t'apitoyer sur ton sort ! pensa-t-elle. Tu ne pouvais pas vivre éternellement comme Boucles d'Or avec ses quatre ours mal léchés... Ta place n'est pas ici, et l'état de tes finances ne te laisse pas le choix, de toute façon : tu dois rentrer chez toi. »

Quand la cime des arbres lui cacha le toit du Cozy Cove, cependant, un violent pincement au cœur lui fit comprendre que ce voyage ne la ramenait pas chez elle : il l'en éloignait.

21.

Sara entra dans la pièce attenante à son bureau et poussa un soupir de soulagement : Emily Marshall n'y était pas, ce qui allait lui permettre de la traverser sans voir sa nouvelle secrétaire hausser les sourcils parce qu'elle arrivait à 8 h 45 au lieu de 8 h 30. Emily était trop respectueuse pour lui demander la raison de ce retard — un simple embouteillage sur le périphérique —, mais trop formaliste pour ne pas s'en offusquer, au moins silencieusement. Depuis deux mois qu'elle avait remplacé Candy, cette femme d'une cinquantaine d'années s'acquittait de ses tâches avec un sérieux et une compétence parfaits, sans jamais commettre la moindre erreur, mais sans jamais sourire non plus.

Son absence, ce matin-là, lui ressemblait même si peu que Sara s'inquiéta : et s'il lui était arrivé quelque chose ? Elle fut vite rassurée ; une pleine verseuse de café chaud l'attendait dans son bureau, une rangée de crayons fraîchement taillés s'alignait sur son sous-main, et l'écran de son ordinateur allumé affichait le planning de cette journée du 6 septembre.

A peine la jeune femme s'était-elle assise que sa secrétaire frappa à la porte pourtant laissée entrebâillée, puis attendit pour entrer d'en avoir reçu la permission. Sara lui avait dit des dizaines de fois qu'elle pouvait entrer sans frapper, mais cela devait choquer son sens des convenances.

— Excusez-moi de ne pas avoir été là pour vous accueillir, mademoiselle Crawford, déclara Emily.

— Ce n'est pas grave.

— J'espère que le café est à votre goût. Je l'ai trouvé un peu fort, hier, alors j'ai mis plus d'eau aujourd'hui.

Si Sara l'avait préparé elle-même, elle aurait divisé par deux la quantité d'eau et doublé la dose de café moulu, mais elle se força à sourire et demanda :

— Comment se présente la journée ? Je n'ai pas encore consulté mon planning.

— Vous avez de nombreux rendez-vous, et comme nous sommes au début de septembre, des retardaires viendront sûrement en plus apporter leurs registres du mois dernier. J'irai vous chercher à déjeuner tout à l'heure, si vous n'avez pas le temps de sortir.

— Merci.

Une fois seule, Sara regarda d'un œil morne le breuvage insipide qu'Emily appelait du café. Ce n'était pas cela qui allait lui donner le coup de fouet nécessaire pour affronter le défilé de visiteurs annoncé...

Elle pensa ensuite à son ancienne secrétaire, qui n'avait plus à se soucier de délais, d'échéances ni de surcharge de travail. Candy habitait maintenant à Thorne Island avec Ryan, et ils avaient accepté d'assurer ensemble la gérance du Cozy Cove. Les premiers clients n'arriveraient cependant pas avant une semaine, et ils ne seraient de toute façon pas très nombreux.

Candy avait de la chance de vivre dans un cadre dont rien ne venait gâcher la beauté naturelle ! songea Sara. De son bureau, elle ne voyait qu'un minuscule rectangle de ciel, n'entendait aucun oiseau chanter, et la mer, bien que toute proche, était cachée par les hautes tours du centre-ville de Fort Lauderdale.

Tout en se réjouissant pour Candy, elle lui enviait par-dessus tout d'avoir trouvé l'âme sœur. Elle avait connu quelques jours de bonheur parfait avec un homme qui avait comblé tous ses désirs de femme, mais son histoire à elle s'était mal terminée, parce que cet homme n'avait apparemment pas besoin d'elle dans sa vie.

La nostalgie qu'elle avait de Thorne Island aurait dû s'atténuer avec le temps, mais c'était tout le contraire : le Cozy Cove lui manquait de plus en plus, et les vignes, et les eaux bleues du lac, et Nick, bien sûr… Elle regrettait aussi la Sara Crawford qui s'était révélée sur l'île, et que des monceaux de papiers et d'interminables colonnes de chiffres avaient depuis étouffée.

Un nouveau coup frappé à la porte interrompit ses réflexions.

— Entrez, Emily ! déclara-t-elle.

— Excusez-moi, mademoiselle Crawford, mais il y a un homme très étrange qui demande à vous voir. Il ne m'a pas donné son nom, mais je crois qu'il est italien.

Italien ? Le cœur de Sara s'arrêta de battre. Et si c'était… Non, il ne suffisait pas de penser à quelqu'un pour le faire apparaître. Ce genre de prodige n'arrivait que dans les films ou dans les livres.

— Il m'a remis ceci, reprit Emily en s'approchant pour lui tendre un sac en papier maculé de taches de graisse. Il m'a dit que tous ses documents comptables étaient dedans, et il a apporté une pizza pour vous.

L'espoir d'un miracle que Sara avait eu la bêtise de garder s'éteignit brutalement.

— Je connais cet homme : c'est Tony Papalardo, indiqua-t-elle. Je vais le recevoir.

Une pizza était la dernière chose dont elle avait envie à 9 heures du matin, mais elle ne put s'empêcher de sourire quand son visiteur posa une grande boîte en carton sur son bureau avec un geste ample du bras.

— Cadeau de la maison ! s'écria-t-il. Pour vous remercier de supporter un client aussi peu organisé que moi !

— Ce n'était pas la peine, monsieur Papalardo. Je me serais occupée de votre comptabilité même sans pizza

— J'en suis sûr, mais je voulais vous montrer que vous n'aviez pas affaire à un ingrat, et comme je sais que vous aimez les anchois, j'en ai mis beaucoup.

La jeune femme faillit éclater de rire, mais elle se contint pour ne pas vexer son interlocuteur. Pour irritant qu'il fût, avec ses éternels retards et son manque total de sens pratique, il était vraiment gentil, et sa bonne humeur était communicative. Quand il fut parti, Sara se sentait ragaillardie, et elle eut même le courage — après avoir rangé la boîte de pizza sur un classeur métallique — de vider le contenu du sac en papier et de le trier sur-le-champ.

Son premier rendez-vous était à 10 heures, et elle n'aurait ensuite plus une minute à elle. La visite de Tony Papalardo valait cependant la peine d'être racontée à Candy : l'histoire des anchois l'amuserait beaucoup. Sara décida de l'appeler dans la matinée, quitte à faire attendre un client, et elle en profiterait pour s'enquérir des vignes, de l'hôtel, de Dexter et de Brody.

Jamais elle ne posait de questions sur Nick pendant ses conversations téléphoniques avec Candy, mais lorsque celle-ci parlait de lui, elle buvait ses paroles. Il travaillait matin, midi et soir devant son ordinateur, avait-elle ainsi appris, sauf le lundi, où il allait creuser et pêcher avec Brody et Ryan. Il lui arrivait aussi de passer quelques heures dans l'ancien pressoir, et il s'était acheté un portable. Sara ne voyait pas bien à quoi cela pouvait lui servir — pas à l'appeler, elle, en tout cas : il se contentait de demander de temps en temps de ses nouvelles à Candy.

Sara finissait de dresser l'inventaire des recettes et des dépenses de la pizzéria Papalardo quand sa secrétaire frappa de nouveau à la porte.

— Excusez-moi de vous déranger encore, mademoiselle Crawford, dit Emily depuis le seuil, mais c'est apparemment la journée des visiteurs importuns…

— Qui est-ce, cette fois-ci ?

— Un homme qui insiste lui aussi pour vous voir, et de façon encore plus énergique que M. Papalardo. Il m'a expliqué qu'il n'avait pas rempli de déclaration de revenus depuis des années, et qu'il avait besoin d'un bon expert-comptable pour éviter la prison.

La bouche pincée de la secrétaire exprimait sa profonde réprobation devant un comportement aussi immoral, mais Sara, elle, trouva que le problème de cet inconnu constituait un défi intéressant à relever. Cela mettrait un peu de piquant dans la grisaille de son quotidien.

— Donnez-lui un rendez-vous pour demain après-midi, ordonna-t-elle.

— Je doute qu'il s'en contente, indiqua Emily. Il est très agité… Franchement, il me fait peur.

Même si la plupart des hommes lui faisaient sans doute peur, elle semblait si sûre d'avoir affaire à un dangereux individu que Sara décida d'appeler le service de sécurité.

Elle décrocha son téléphone, commença à composer le numéro, mais s'interrompit en entendant un petit cri.

Elle leva la tête et vit sa secrétaire franchir le seuil, poussée par une main invisible et tenant à bout de bras un plateau argenté.

— Il... il exige que je vous montre ça..., balbutia Emily.

La jeune femme raccrocha le combiné et se leva. Elle n'en croyait pas ses yeux : au milieu du plateau était posée une grappe de raisin aux grains charnus, d'un beau vert translucide, d'un ovale parfait. Elle alla en toucher la peau lisse et ferme, les considéra un instant avec une sorte de respect admiratif, puis éclata d'un rire joyeux.

— C'est mon raisin, Emily ! s'écria-t-elle. Le raisin de ma vigne ! Vous voulez le goûter ?

— Certainement pas !

Peut-être sa secrétaire craignait-elle que ce fruit ne soit empoisonné, pensa Sara, amusée. Pour lui prouver le contraire, elle en détacha un grain et le mit dans sa bouche. Un jus riche et sucré vint flatter ses papilles. Elle ferma les paupières pour mieux le savourer, les rouvrit ensuite et demanda à une Emily qui la fixait d'un air abasourdi :

— Où est l'homme qui a apporté ça ? Il n'est pas parti, j'espère ?

Comme s'il attendait ce moment pour apparaître, Nick surgit alors dans l'embrasure de la porte.

— Je proteste ! s'exclama-t-il. Cette femme ne me connaît même pas depuis dix minutes, et elle est déjà prête à m'envoyer à l'asile !

Sans le quitter des yeux, Sara prit le plateau et le posa sur son bureau. Emily profita aussitôt de sa liberté de mouvement retrouvée : elle courut vers la porte et sortit de la pièce en se collant contre le chambranle pour éviter de toucher Nick.

Ce dernier referma le battant derrière elle et déclara :

— Tu es occupée ?

Mais le tumulte d'émotions qui agitait Sara lui avait enlevé sa voix. Elle ne pouvait que regarder Nick, un Nick plus beau que jamais, avec son visage hâlé par le soleil de Thorne Island. Il se passa la main dans les cheveux, l'air soudain intimidé, et la jeune femme parvint finalement à articuler :

— Ma secrétaire a raison, tu sais : tu es vraiment fou.

— Oui, mais pour guérir, ce n'est pas d'un psychiatre que j'ai besoin ; c'est d'une jolie expert-comptable.

Sara s'adossa au bureau. Elle tremblait tellement que ses genoux menaçaient de se dérober.

— Tu ne devrais pas avoir de mal à en trouver une, observa-t-elle. Cette profession s'est beaucoup féminisée.

— J'en ai déjà trouvé une, et je suis venu lui demander un rendez-vous. Je ne suis pas sûr de le mériter, mais peut-être me prendra-t-elle en pitié...

— Aux dernières nouvelles, pourtant, tu détestais être plaint.

— Tout sentiment venant de toi est le bienvenu, même la pitié, mais j'espère t'en inspirer d'autres.

— Combien de temps as-tu l'intention de rester ?

— Cela dépend uniquement de toi.

La présence de Nick à Fort Lauderdale et l'humilité dont il faisait preuve valaient toutes les déclarations d'amour. L'âme inondée de joie, Sara s'avança vers lui, se haussa sur la pointe des pieds et lui effleura les lèvres d'un baiser. Il se laissa d'abord embrasser, comme un homme n'osant croire à sa chance, puis il répondit à la caresse avec un merveilleux mélange d'ardeur et de tendresse.

Quand, le souffle court, ils rompirent leur étreinte, Sara lut sur le visage de Nick un bonheur égal au sien.

— Il t'a été difficile de quitter l'île pour venir ici, j'imagine ? demanda-t-elle.

— Tout a été dur pour moi après ton départ, et certaines choses se sont même révélées impossibles — réussir à t'oublier, par exemple. Mais ce n'est rien comparé aux efforts que je dois fournir en cet instant précis pour me rappeler que nous sommes ici dans un bureau, et non dans une chambre… Tu m'as tellement manqué !

— Toi aussi. Si tu savais combien de fois j'ai eu envie de demander à Candy de te passer le téléphone, juste pour entendre ta voix !

— Nous aurions pu éviter cette séparation. J'ai beaucoup réfléchi, pendant ces quatre longs mois, et je suis arrivé à la conclusion que l'un de nous deux aurait dû céder, mais qu'il était trop têtu pour cela.

— Je suis du même avis, mais ne me dis pas qui, de toi ou de moi, tu juges trop têtu… Je ne veux pas gâcher ce moment.

Ils éclatèrent de rire tous les deux, et un élan d'amour d'une intensité presque douloureuse souleva Sara : elle avait retrouvé l'homme qui avait su conquérir son cœur, celui qui était capable de passer et de la faire passer en une minute par toute la gamme des émotions. Elle se serra contre lui et glissa les doigts dans les boucles noires qui lui recouvraient la nuque. Il avait les cheveux encore plus longs que lors de leur première rencontre ; Gina n'était visiblement pas venue lui rendre une seule visite en quatre mois.

— Nous ne devons plus nous quitter, reprit Sara en posant la tête dans le creux de son épaule, mais je me heurte toujours au même problème : l'argent. Si je n'ai plus de revenus fixes, comment…

— L'argent n'est plus un problème.

— Ah bon ? Tu as recommencé à braquer des banques ?

— Il existe des moyens moins dangereux de se mettre à l'abri du besoin.

La jeune femme s'écarta de Nick et le regarda avec attention. Elle croyait qu'il plaisantait, mais elle se trompait : il était parfaitement sérieux.

— Vous avez trouvé le trésor de Thorne Island ? demanda-t-elle.

— Oui, mais…

— Où était-il ?

— Dans la cave. Un jour où j'aidais Ryan à la ranger en prévision de la prochaine récolte, j'ai aperçu, dans un renfoncement du mur, une vieille sacoche de cuir noir portant les initiales du père Bertrand. Quand je pense au mal que nous nous sommes donné à creuser ! Il suffisait en réalité de tendre la main pour récupérer… ceci.

Tout en parlant, Nick avait sorti un objet de la poche de son pantalon, et il le tendit alors à Sara. C'était une pièce de monnaie ancienne.

— Voilà malheureusement tout ce qui reste, avec quelques autres pièces comme celle-ci, de l'argent et des bijoux confiés à ce missionnaire par le roi de France. L'un des ouvriers qui ont construit le pressoir a dû tomber sur la sacoche et en voler le contenu, mais sans avoir le temps ni de vérifier s'il l'avait entièrement vidée, ni de la dissimuler dans un endroit moins accessible.

— Tu as informé Brody de ta découverte ?

— Non. Je l'ai fait descendre au sous-sol sous un faux prétexte, et je l'ai ensuite guidé vers le trésor sans en avoir l'air. Il le méritait bien : c'est lui qui avait eu l'idée de le chercher.

— J'imagine qu'il a immédiatement envoyé les pièces à son banquier, avec ordre de les enfermer dans son coffre ?

— Pas du tout ! Il les a remises dans la sacoche, et a replacé le tout dans la cachette. Matthew va bientôt venir à Thorne Island avec femme et enfants, et Brody organisera pour eux une chasse au trésor dont je te laisse deviner l'issue.

— C'est très délicat de sa part. Il a donc un cœur, finalement…

— Eh oui !

— Tant mieux, mais quelques pièces de monnaie — dont la moitié appartient en outre à leur inventeur — ne constituent pas une fortune, alors pourquoi dis-tu que l'argent n'est plus un problème ? J'ai à peine de quoi payer la prochaine taxe foncière de l'île !

Nick plongea une deuxième fois la main dans sa poche et en sortit une feuille de papier pliée en quatre.

— Lis ça ! ordonna-t-il en la tendant à Sara.

Elle la déplia. C'était un contrat de publication.

— Tu as envoyé tes manuscrits à un éditeur ! s'écria-t-elle. Et en les signant de ton vrai nom !

— Oui. Regarde au verso, maintenant, et tu verras l'à-valoir que je vais toucher… La somme commence par un « un », mais il y a plusieurs zéros après… Et les droits d'auteur qui suivront ne devraient pas être mal non plus, car l'éditeur est si sûr du succès de mes romans en librairie que les trois premiers seront tout de suite tirés à un nombre important d'exemplaires.

— Je savais que tu étais un brillant écrivain ! Mais qu'est-ce qui t'a décidé à tenter ta chance ?

— C'était le seul moyen de compenser la perte de revenus que tu subiras si tu veux bien venir vivre avec moi à Thorne Island… J'aurais dû y penser avant, mais cela me forçait à quitter ma retraite, et tu avais raison : c'est par lâcheté que j'y suis resté caché si longtemps. Mes craintes de représailles étaient peut-être fondées, au départ, mais ensuite, c'est la peur du monde extérieur qui m'a paralysé : j'étais trop orgueilleux pour y retourner amoindri sur le plan physique.

Il avait fallu quatre mois à Nick pour accomplir ce travail sur lui-même, songea Sara, mais il avait finalement trouvé le courage de s'accepter tel qu'il était, et une nouvelle vie commençait pour lui… Pour eux deux.

— J'ai aussi repris contact avec le rédacteur en chef du *Plain Dealer*, poursuivit Nick, et il m'a proposé d'y écrire une chronique hebdomadaire. Cela m'obligera à me rendre régulièrement à Cleveland… ce qui m'amène au but de ma visite d'aujourd'hui.

— Je croyais que tu étais là pour me demander de venir vivre avec toi à Thorne Island ?

— Oui, mais uniquement parce que j'aurai besoin d'une voiture pour aller à Cleveland, et que tu ramèneras sûrement la tienne sur l'île. Je pourrai ainsi l'utiliser.

— Espèce de…

Sara recula d'un pas et détacha un grain de la grappe posée sur le plateau. Elle le lança au visage de Nick, qui l'évita en se jetant vivement de côté.

— Je plaisantais ! s'écria-t-il. Je n'aurais pas fait tout ce chemin juste pour pouvoir disposer d'une voiture alors que j'ai maintenant les moyens de m'en acheter une ! Non, si je tiens tant à t'avoir près de moi, c'est parce que j'ai besoin d'un expert-comptable pour régulariser ma situation avec le fisc et remplir ensuite à ma place mes déclarations de revenus.

Une pluie de grains de raisin s'abattit sur lui, et il finit par lever les bras en signe de reddition.

— Arrête ! s'exclama-t-il. Je vais te dire la vraie raison de ma visite : je veux que nous vivions ensemble, mais comme mari et femme.

Le raisin que Sara s'apprêtait à lancer resta dans sa main. Elle ouvrit la bouche, mais aucun son n'en sortit. Même si elle avait pu parler, Nick l'en aurait d'ailleurs empêchée en s'emparant du projectile improvisé et en le lui plaçant entre les lèvres.

— Tu as peut-être peur de te retrouver enchaînée pour la vie à un homme aussi casanier que moi, reprit-il, mais si tu acceptes de m'épouser, je te promets de t'accompagner partout où tu auras envie d'aller. Je serai heureux n'importe où du moment que j'y suis avec toi.

Le visage radieux, Sara lui tendit les bras, et il l'enlaça étroitement.

— J'attends ta réponse, murmura-t-il.

— Tu la connais déjà.

— Je veux quand même l'entendre.

— C'est oui. Trois fois, dix fois, cent fois oui !

— Une seule me suffit, mais, toute plaisanterie à part, j'ai vraiment besoin de tes compétences d'expert-comptable : maintenant que je ne me cache plus sous une fausse identité, le service des impôts va me retrouver, et peut-être m'envoyer en prison pour fraude fiscale.

— Une seconde...

La jeune femme s'écarta de Nick, ouvrit un classeur métallique et en sortit un document imprimé qu'elle tendit à son compagnon.

— Lis ça !
— Qu'est-ce que c'est ?
— Un texte de loi.
— Non, c'est trop ennuyeux ! Explique-moi juste en quoi il me concerne.
— Tu as plus de soixante-cinq ans ?
— Un tout petit peu moins.
— Tu as gagné plus de huit mille huit cents dollars par an depuis que tu as changé de nom ?
— Je n'ai pas gagné un sou.
— Alors tu remplis les deux conditions qui dispensent les habitants de ce pays de déclarer leurs revenus au fisc, indiqua Sara. D'après ce que j'ai vu sur ton contrat de publication, cependant, tu n'entres plus dans le cadre de cette exemption.
— J'adore quand tu me dis des mots doux, susurra Nick avant de l'attirer contre lui et de reprendre sa bouche avec avidité.
La porte s'ouvrit alors, livrant passage à Emily Marshall, suivie d'un vigile.
— Jésus, Marie, Joseph ! s'exclama-t-elle.
Un rire silencieux secoua les épaules des deux coupables et, plus que la peur de choquer Emily, les obligea à interrompre leur baiser.
Sans lâcher Sara, Nick posa les lèvres contre son oreille et chuchota :
— Tu devrais apprendre à ta secrétaire à frapper avant d'entrer !

Chère lectrice,

Vous nous êtes fidèle depuis longtemps?
Vous venez de faire notre connaissance?

C'est pour votre plaisir que nous avons imaginé un rendez-vous chaque mois avec vos auteurs préférés, vos AUTEURS VEDETTE *dans les collections* Azur *et* Horizon.

Les AUTEURS VEDETTE *vous donneront rendez-vous pour de nouveaux livres vedette.*

Pour les reconnaître, cherchez l'étoile... Elle vous guidera!

Éditions Harlequin

AUT-R-R

LE FORUM DES LECTEURS ET LECTRICES

CHERS(ES) LECTEURS ET LECTRICES,

VOUS NOUS ETES FIDÈLES DEPUIS LONGTEMPS?

VOUS VENEZ DE FAIRE NOTRE CONNAISSANCE?

SI VOUS AVEZ DES COMMENTAIRES, DES CRITIQUES À FORMULER, DES SUGGESTIONS À OFFRIR, N'HÉSITEZ PAS... ÉCRIVEZ-NOUS À:

LES ENTERPRISES HARLEQUIN LTÉE.
498 RUE ODILE
FABREVILLE, LAVAL, QUÉBEC.
H7R 5X1

C'EST AVEC VOS PRÉCIEUX COMMENTAIRES QUE NOUS ALLONS POUVOIR MIEUX VOUS SERVIR.

DE PLUS, SI VOUS DÉSIREZ RECEVOIR UNE OU PLUSIEURS DE VOS SÉRIES HARLEQUIN PRÉFÉRÉE(S) À VOTRE DOMICILE, NE TARDEZ PAS À CONTACTER LE SERVICE D'ABONNEMENT; EN APPELANT AU (514) 875-4444 (RÉGION DE MONTRÉAL) OU 1-800-667-4444 (EXTÉRIEUR DE MONTRÉAL) OU TÉLÉCOPIEUR (514) 523-4444 OU COURRIER ELECTRONIQUE: AQCOURRIER@ABONNEMENT.QC.CA OU EN ÉCRIVANT À:

ABONNEMENT QUÉBEC
525 RUE LOUIS-PASTEUR
BOUCHERVILLE, QUÉBEC
J4B 8E7

MERCI, À L'AVANCE, DE VOTRE COOPÉRATION.

BONNE LECTURE.

HARLEQUIN.

VOTRE PASSEPORT POUR LE MONDE DE L'AMOUR.

COLLECTION HORIZON

Des histoires d'amour romantiques qui vous mènent au bout du monde!

Découvrez la passion et les vives émotions qu'apportent à la Collection Horizon des auteurs de renommée internationale!

Captivantes, voire irrésistibles, ces histoires d'amour vous iront assurément droit au coeur.

Surveillez nos trois nouveaux titres chaque mois!

Composé et édité
PAR LES ÉDITIONS HARLEQUIN
Achevé d'imprimer en mars 2004

à Saint-Amand-Montrond (Cher)
Dépôt légal : avril 2004
N° d'imprimeur : 40946 — N° d'éditeur : 10471

Imprimé en France